Virginia Klie

GLOSSÁRIO DE GASTRONOMIA

Português – Inglês
Inglês – Português

DISAL EDITORA

Preparação
Mário Vilela

Capa e projeto gráfico
Paula Astiz

Editoração eletrônica
Laura Lotufo / Paula Astiz Design

Assistente de produção
Noelza Patrícia Martins

Colaboradores
Denise Ferreira Barone
Rosa Maria Pimentel Carvalho
Celisa Ulhôa Canto

Dados Internacionais de Catalogação na Publicação (CIP)
(Câmara Brasileira do Livro, SP, Brasil)

Klie, Virginia
Glossário de gastronomia : português-inglês / inglês-português / Virginia Klie. – São Paulo : DISAL, 2010.

ISBN 978-85-7844-049-7

1. Gastronomia – Glossários, vocabulários etc. 2. Inglês – Glossários, vocabulários etc. – Português 3. Português – Glossários, vocabulários etc. – Inglês I. Título.

10-02082 CDD-641.01303

Índices para catálogo sistemático:
1. Gastronomia : Glossários, vocabulários etc. 641.01303

DISAL EDITORA

Alameda Mamoré 911 – cj. 107
Alphaville – BARUERI – SP
CEP: 06454-040
Tel./Fax: (11) 4195-2811
Visite nosso site: www.disaleditora.com.br
Televendas: (11) 3226-3111

Fax gratuito: 0800 7707 105/106
e-mail para pedidos: comercialdisal@disal.com.br

SUMÁRIO

AGRADECIMENTOS

Quisera eu poder agradecer a todas as pessoas que colaboraram comigo ensinando-me os termos da culinária em português! Durante os 28 anos em que tenho vivido no Brasil, fui pouco a pouco absorvendo um novo vocabulário na área. Contei com a colaboração de amigos, da família, de empregadas domésticas, de cozinheiros, de atendentes de mercados e feiras, de programas de culinária na televisão e seus respectivos tradutores, de barmen, de trabalhadores e proprietários de restaurantes. A todos agradeço muito terem compartilhado tão carinhosamente seu conhecimento comigo. Meus alunos de inglês também contribuíram muito – aprendemos bastante quando ensinamos.

Naturalmente, alguns se destacam como grandes colaboradores. Meus agradecimentos especiais vão para Rosa Maria Pimentel Carvalho e Denise Ferreira Barone, que trabalharam incansavelmente para corrigir meu terrível português americanizado. Agradeço também a Celisa Ulhôa Canto pela ajuda com a tradução. Obrigada a Eduardo Fecarotta, que foi tão incentivador e que tantas sugestões construtivas me deu. Gostaria também de agradecer a Maria Augusta Rodrigues Alves; a minhas irmãs, Danya e Barbara Klie; a Carmen Santiago Silva; a Maria Helena Santiago Silva; a Peter Godwin; a Paulo James; a Elisa Duarte Teixeira; a Heloisa Bacellar; e a Alvamar de Campos Andrade Lamparelli.

INTRODUÇÃO

Muito de nossa frustração ao falar uma língua estrangeira vem da falta de vocabulário. É mesmo uma capacidade importante saber comunicar-se "explicando" a palavra que se desconhece – mas não seria mais fácil conhecer tal palavra?

Estudar e memorizar as palavras adquiridas é essencial e exige dedicação. Há muitos recursos facilitadores do estudo de uma língua, como os *flash cards* e os próprios cadernos de vocabulário que costumam ser sugeridos de aula. Na verdade, qualquer método é válido. O ponto é que... você precisa continuar tentando!

Aqui está um livro que o ajudará a adquirir um vocabulário específico da temática alimentar. Existe área melhor para conhecer? Você gosta de comer, não gosta? Provavelmente, passa boa parte da vida falando sobre o assunto. Tendo este livro como referência, achará o vocabulário para fazer compras, cozinhar, ir a um restaurante e – o mais importante – poder pedir o que comer. Ah, sim, e falar sobre uma refeição que foi surprendente.

Ler sobre **homófonos** pode dirimir algumas dúvidas de pronúncia e de escrita.

As **palavras estrangeiras**, como as muitas que constam desta lista, sempre foram incorporadas sem dificuldade pelo inglês, o que o ajudou a ter o vocabulário mais amplo de todas as línguas. Por outro lado, tais palavras trouxeram dificuldades relativas à pronúncia.

Os **cognatos de sentido diferente**, também chamados falsos amigos, podem nos confundir facilmente: você pensa que conhece a palavra, está enganado e, mesmo assim, continua seguro de conhecê-la.

Você pode usar seu conhecimento básico sobre o vocabulário na área de alimentos, ver como ele é usado nas **expressões idiomáticas**, nas **metáforas** e nos **ditos e provérbios** e perceber que, em certos casos, chega a ser cômico comparar os nomes nas duas línguas.

Pratique então o que aprendeu nos sites que recomendo ao final, ou vá àqueles sites e use o livro como ajuda. Se você gosta de cozinhar, há centenas, talvez milhares, de livros de culinária em inglês que esperam por serem descobertos e usados, para que não se tenham mais problemas com as palavras nem confusões na hora de converter as medidas.

Você não está motivado o suficiente para estudar este vocabulário? Pois então pense no quanto poderá comer melhor quando estiver em viagem ao exterior…

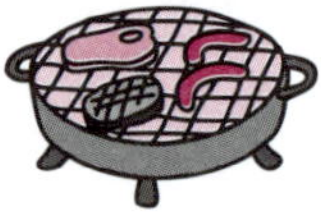

ABREVIATURAS

ABREV abreviatura
ADJ adjetivo
ADV advérbio
UK Reino Unido
P.EX. por exemplo
PL plural
S substantivo
SF substantivo ou locução de gênero feminino
SM substantivo ou locução de gênero masculino
SMF substantivo masculino e feminino
SM-SF substantivo ou locução com desinências diferentes para o masculino e o feminino
US Estados Unidos
V verbo

PORTUGUÊS-INGLÊS

A

a gosto › *to one's taste*
abacate › *avocado*
abacaxi › *pineapple*
abafar › *(to) keep warm by covering well; (to) cover well*
abalone › *abalone*
abóbora › *any type of squash, pumpkin, gourd*
abóbora-japonesa › *acorn squash*
abóbora-moranga, moranga › *pumpkin*
abobrinha › *zucchini*
abobrinha pequena › *courgette* **(UK)**
(certa variedade de) abobrinha › *marrow* **(UK)**
abrandar › *(to) mellow*
abricó › *apricot*
abridor de garrafa › *bottle opener*
abridor de lata › *can opener*
abridor de nozes; quebra-nozes › *nutcracker*
abrir massa; estender massa › *(to) roll out dough*
absorver › *(to) soak up; (to) absorb*
açafrão (estigma) › *saffron*
açafrão-brasileiro (raiz); cúrcuma; açafrão-da-terra › *tumeric*
(óleo de) açafroa › *safflower oil*
(certas variedades de) acelga › *silver beet* **(UK)***; Swiss chard; Chinese cabbage; bok choy* **(US)**
achatar › *(to) flatten*
ácido › *sour*
acompanhamento › *side dish*
acrescentar › *(to) add; (to) include*
acrescentar despejando › *(to) pour in*
acrescentar e misturar › *(to) mix in*
acrescentar misturando cuidadosamente › *(to) fold in*
açúcar › *sugar*
açúcar cristalizado › *sanding sugar; coarse sugar*
açúcar de confeiteiro › *icing sugar* **(UK)***; confectioners' sugar (also written "confectioner's")* **(US)**

açúcar dourado › *sugar crystals* (**UK**)
açúcar fino mas não tanto quanto o de confeiteiro › *caster sugar* (**UK**)*; superfine sugar* (**US**)
açúcar de seiva de bordo › *maple sugar*
açúcar demerara (o mais parecido com o açúcar cru; açúcar granulado, de cor amarelada, que apresenta grande concentração de melaço) › *demerara sugar (closest to raw sugar)*
açúcar em cubos › *cube sugar*
açúcar em pó › *powdered sugar (a grind of sugar finer than granulated but coaser than confectioners')*
açúcar mascavo › *brown sugar*
açúcar refinado › *granulated sugar*
açucareiro › *sugar bowl*
adega › *wine cellar*
adicionar › *(to) add*
adoçante dietético › *artificial sweetener*
adoçar › *(to) sweeten*
aferventar › *(to) bring (past/past participle brought) to a boil; (to) boil*
afiador de faca › *knife sharpener*
afundar a massa e vê-la voltar › *(to) rebound*
agrião › *watercress*
agridoce › *bittersweet*
água com gás › *carbonated water*
água mineral › *spring water; mineral water*
água mineral, em especial uma que tenha valor medicinal › *mineral water*
aguardente › *schnapps*
aipo › *celery*
Ajinomoto (glutamato monossódico) › *MSG; monosodium glutanate; Accent*
ajudante de garçom › *busboy*
ajustar › *(to) adjust*
alcachofra › *artichoke*
alcaparras › *capers*
alcaravia › *caraway seeds*
alce › *moose*

álcool metílico; espírito de madeira › *wood alcohol*
alecrim › *rosemary*
alface-americana › *head lettuce; iceberg lettuce*
alface-crespa › *curly lettuce*
alface-lisa › *Boston lettuce*
alface-romana › *romaine lettuce; cos lettuce*
alface-roxa › *red lettuce*
alfarrobeira; alfarroba (substituto do chocolate) › *carob*
alfavaca › *sweet basil*
(uma das variedades de) alga marinha › *dulse*
(uma das variedades de) alga marinha › *hijiki*
alga marinha yakinori › *nori*
algas › *seaweed*
algodão doce › *cotton candy* **(US)**; *candy floss* **(UK)**
alguidar › *casserole; casserole dish*
alho › *garlic*
alho, dente de › *clove of garlic*
alho-poró; alho-porro › *leek*
aliche › *anchovy*
alimentar v › *(to) nurture; (to) feed*
alimento › *sustenance*
alimentos básicos › *staples*
alimentos ricos em substâncias indigeríveis › *roughage*
almoço › *lunch; (termo formal) luncheon*
amaciante de carne › *tenderizer*
amaciar › *(to) tenderize*
amanhecido, passado, envelhecido (pão) › *stale*
amargo › *bitter*
amarrar as pernas e asas de uma ave e se recheada, fechar com espetinho › *(to) truss*
amassador de batata › *potato masher*
amassar (com garfo) › *mash (with a fork)*
amassar; sovar (a massa) › *knead (dough)*
ameixa fresca › *plum*
ameixa seca › *prune*
amêndoa › *almond*
amendoim › *peanut; goober; ground-nut*
amido › *starch*

amido de milho › *corn flour* **(UK)**; *cornstarch* **(US)**
amolecer › *(to) macerate ; (to) soften*
amora › *mulberry*
amora-preta › *blackberry*
ananás › *pineapple*
anchova › *blue fish*
anilina › *food coloring*
anis › *anise; aniseed; sweet fennel; Florence fennel*
ao ponto › *medium*
(entre) ao ponto e malpassado › *medium rare*
apalpar › *(to) handle; (to) pat*
aparador › *side board*
aparar › *(to) trim*
aperitivo (coquetel) › *aperitif (short drink) and hors d'oeuvre served before a meal*
apimentado › *hot; spicy; deviled* (bem apimentado)
apodrecer › *(to) rot*
apurar o gosto dos ingredientes › *(to) blend flavors*
aquecer › *(to) heat; (to) warm up*
ardido (picante e/ou azedo) › *sharp*
arenque › *herring*
armário › *closet; cabinet; cupboard*
armazenar › *(to) store*
arrancar › *(to) rend*
arroz branco › *white rice*
arroz integral › *brown rice*
arroz-silvestre (colhido na natureza no Canada e no norte dos EUA) › *wild rice*
arrumar (dispor) › *(to) arrange*
asa › *wing*
aspargo › *asparagus*
áspero › *coarse*
assadeira › *roasting pan*
assadeira sem beirada para biscoitos › *baking tray* **(UK)**; *baking sheet* **(US)**; *cookie sheet* **(US)**
assar bolo ou pão › *(to) bake*
assar carne › *(to) roast*
assar na panela › *(to) braise*

assentar › *(to) settle*
atum › *tuna*
aumentar › *(to) expand; (to) rise; (to) increase*
ave comestível › *fowl*
ave doméstica › *poultry*
ave galinácea silvestre › *grouse*
aveia › *oat*
(farelo de) aveia › *oat bran*
avelã › *filbert; hazelnut*
avental › *apron*
azeda (trevo-azedo) › *sorrel*
azedar › *(to) sour; (to) turn sour; (to) curdle*
azedo › *sharp; sour; tart*
azeite-de-dendê › *red palm oil*
azeite de oliva › *olive oil*
azeitona › *olive*

B

babadeira › *bib*
babar › *(to) drool*
bacalhau (a espécie) › *cod*
bacalhau (o peixe seco e salgado) › *salt cod; salted cod fish*
bacia › *basin*
bacia para lavar louça › *dish pan*
bacon de tipo magro › *Canadian bacon* **(US)**; *back bacon* **(UK)**; *lean bacon* **(UK)**
badejo › *a fish similar to the perch*
(de) baixa caloria ADJ › *light; lite* (tornou-se popular escrever assim, para fins de marketing)
bala de leite › *toffee; taffy*
balança › *scale*
balas › *candy; hard candy* **(US)**; *boiled sweet* **(UK)**
balde de gelo › *ice bucket*
bandeja › *tray*

bandeja térmica › *warming tray*
bandejão (refeitório) › *cafeteria*
banha (de porco) › *(pork) lard*
banha vegetal › *(vegetable) lard*
(panela especial para) banho-maria › *double boiler*
banqueteiro; fornecedor de refeições para clube, hotel, casa etc. › *caterer*
barbatana › *fin*
barrica (em geral de cerveja) › *keg*
barril › *barrel, vat*
batata assada › *jacket potato* **(UK)**
batata-bolinha › *new potato (tiny)*
batata-doce › *sweet potato; yam*
batata frita › *chips* **(UK)***; French fries* **(US)**
batata frita de saquinho › *potato chips* **(US)***; crisps* **(UK)**
batata-inglesa › *potato*
batata-roxa › *yam*
batedeira › *mixer*
batedeira elétrica › *electric mixer*
batedor de carne › *mallet*
batedor de ovos › *egg-beater*
batedor manual de ovos, de arame, em forma de pêra › *egg whisk; wire whisk*
batedor rotativo › *rotary egg-beater; manual egg-beater*
bater (com martelo) › *(to) pound (with a mallet)*
bater (massa etc.) › *(to) beat (past beat, past participle beaten)*
bater (ovos, creme) › *(to) whip (eggs, cream)*
bater de leve › *(to) pat*
bater demais › *(to) over beat*
bater levemente na massa para ela murchar › *(to) knock back dough* **(UK)***; (to) punch down dough* **(US)**
bateria de cozinha › *full set of pots and pans*
bêbado › *drunk*
bebedeira › *binge*
beber avidamente › *(to) guzzle*
bebericar › *(to) sip*
(certa variedade de) bebida alcoólica azeda › *sour*

bebida alcoólica tomada antes de dormir › *nightcap*
bebida alcoólica tomada depois de outra (P.EX., cerveja depois de uísque) › *chaser*
(qualquer) bebida deliciosa › *ambrosia; nectar*
bebida destilada › *hard liquor; brandy*
bebida em copo alto (cerveja) › *long drink*
bebida fermentada › *brew*
bebidas › *drinks; beverages*
beliscar (comer aos bocadinhos) › *(to) nibble; (to) nosh*
bem-passado › *well done*
bengala, baguete › *loaf of French or Italian bread*
berinjela › *aubergine* **(UK)**; *eggplant* **(US)**
besuntar › *(to) grease; (to) smear*
beterraba › *beetroot* **(UK)**; *beet* **(US)**
(folhas de) beterraba › *beet greens*
bicarbonato de sódio › *baking soda; bicarbonate of soda*
bife › *steak*
biscoiteiro › *baker*
biscoito › *cookie or cracker, thick and aerated*
(certa variedade de) biscoito champanhe fofo como bolo › *lady's fingers*
biscoito delgado com ou sem recheio › *wafer*
biscoito ou bolacha doce › *biscuit* **(UK)**; *cookie* **(US)**
biscoito salgado › *cracker*
bisnaga (de pão) › *small loaf of bread in the shape of a hot dog roll*
bisteca › *chop* **(US)**; *cutlet* **(UK)**
boca de fogão; queimador › *burner*
bocado › *morsel; bite*
(carne de) boi › *beef*
boi castrado antes de amadurecer sexualmente › *steer*
boiar › *(to) float*
bolacha (achatada) › *cracker; cookie (flat, not thick or aerated)*
boleador de frutas › *melon baller*
bolinho doce › *fairy cake* **(UK)**; *cupcake* **(US)**
bolinho salgado ou doce em forma de empadinha › *muffin*
bolo › *cake*

bolo (não muito doce) ou pão que não leva fermento biológico › *quick bread*
bomba oblonga recheada de creme semelhante a pudim › *éclair*
bombons › *chocolate candy; bonbons*
Bombril; esponja de aço; palha de aço › *steel wool*
bonito (o peixe) › *bonito*
boquinha; refeição ligeira › *bite; snack*
(açúcar de seiva de) bordo › *maple sugar*
(xarope de seiva de) bordo › *maple syrup; maple sirup*
brando › *mild*
brânquia › *gills*
brindar › *(to) raise one's glass; (to) toast*
brócolis › *broccoli*
brotar › *(to) sprout*
broto de alfafa › *alfafa sprouts*
broto de bambu › *bamboo shoots*
broto de feijão (moyashi) › *bean sprouts; Mung bean sprouts*
bucho › *tripe*
búfalo › *water buffalo*
bule de café › *coffeepot*
bule de chá › *teapot*
buquê › *bouquet*

C

cabaré › *cabaret*
cabra › *goat*
caça (a carne) › *venison; wild game*
caçarola › *saucepan (with lid)*
caçarola refratária › *casserole; casserole dish*
caçarola refratária para feijão › *bean pot*
cacau em pó › *cocoa powder*
cadeirão › *high chair*
café › *coffee*

café com leite › *café-au-lait; coffee with milk (in a small glass)*
café em grão › *coffee beans*
café em pó (café moído) › *ground coffee*
café solúvel › *instant coffee*
cafezinho › *small cup of coffee; demitasse*
caixa de cerveja › *case*
caju › *cashew-apple; fruit of the cashew tree*
calda de chocolate › *chocolate sauce; chocolate syrup*
caldeira para cozinhar no vapor › *steamer*
caldeirão › *kettle (large stew pot); soup kettle*
caldo › *broth; stock; bouillon*
caldo de cana › *sugarcane juice*
caldo de carne ou frango em cubinhos › *chicken or beef cube* **(UK)** *; bouillon cubes* **(US)**
caldo de frango ou de peixe › *white stock* **(UK)**
caldo em cubinho › *stock cube* **(UK)***; bouillon cubes* **(US)**
cálice › *wine glass*
camada › *layer; tier*
camapu › *tomatillos; husk tomato*
camarão › *shrimp; prawns*
camarão cru › *green shrimp; raw shrimp*
camarão grande › *scampi; prawns*
camomila › *camomile; chamomile*
cana-de-açúcar › *sugarcane*
caneca › *mug*
(osso da) canela › *knuckle-bone*
canela-da-china › *cinnamon*
canela em casca (em rama, em pau) › *cinnamon stick*
canjica › *grits*
cantalupo; melão-cantalupo › *a melon similar to the cantaloupe*
cantil › *(water) canteen; cafeteria*
cantina (refeitório) › *canteen*
cantina militar; refeitório para soldados, marujos e outros › *mess*
canudo › *drinking straw*
capão › *capon*

capim-limão; erva-cidreira › *lemon grass*
capuchinhos › *nasturtium*
caqui › *Sharon fruit* **(UK)**; *persimmon* **(US)**
caracol (escargot) › *snail; escargot*
caramelizar › *(to) caramelize*
caranguejo › *crab*
carcaça › *carcass*
cardamomo › *cardamom*
cardápio › *bill of fare; menu*
caril; curry › *curry*
carne cortada em cubos › *stew meat*
carne de boi ou vaca › *beef*
carne de carneiro › *mutton*
carne de porco › *pork*
carne-de-sol › *slightly salted and sun-dried meat*
carne de veado › *venison*
carne do peito (do boi) › *brisket*
carne maturada › *aged beef*
carne moída › *mince* **(UK)**; *ground beef; hamburger; hamburg* **(US)**
carne-seca › *jerky*
carneirinho › *lamb*
(carne de) carneiro › *mutton*
carnosidade (polpa) das frutas › *flesh*
caroço › *stone* **(UK)**; *pit* **(US)**
carpa › *carp*
carretilha para cortar massa › *pastry cutter; pastry wheel*
carrinho de supermercado › *shopping cart* **(US)**; *shopping trolley* **(UK)**
cartilagem › *cartilage; gristle*
casca de cítricos › *(citrus fruit) rind; zest*
casca de noz, amêndoa etc. › *nutshell*
casca de ovo › *eggshell*
casca de pão › *bread crust; crust*
casco (vasilhame) › *empty bottle (for return)*
castanha › *chestnut*
castanha de caju › *cashew nut*
castanha-do-pará › *Brazil nuts*

catchup › *tomato sauce* **(UK)**; *catsup, ketchup* **(US)**
cauda › *tail*
cavala › *mackerel*
caviar › *caviar*
cebola › *onion*
cebola para conserva › *pearl onion; baby onion*
cebola-roxa › *purple onion; Bermuda onion*
cebolinha › *spring onion; salad onion* **(UK)**; *green onion; scallion* **(US)**
cebolinha-francesa › *chives*
celeiro › *cellar*
cenoura › *carrot*
centeio › *rye*
centrífuga › *juicer; extractor*
cerâmica › *ceramic; earthenware; pottery*
cereal › *cereal*
cereal parcialmente moído › *grits*
cereja › *cherry*
cerveja › *beer*
(certa variedade de) cerveja clara › *lager*
(certa variedade de) cerveja escura e forte › *stout*
cerveja inglesa de sabor amargo e cor clara › *ale*
cervejaria › *brewery*
cervo › *deer*
cevada › *barley*
chá de ervas › *herbal tea*
chá preto › *Indian tea; black tea*
chacoalhar › *(to) shake*
chaleira › *kettle (for boiling water); tea kettle*
chalota; echalota › *shallot*
champignon › *mushroom*
chamuscar › *(to) scorch*
(creme) chantilly › *whipped cream*
chapa › *griddle*
chapa dupla para waffles › *waffle iron*
chapa para aquecer alimentos (chapa elétrica) › *hot plate*
charque › *jerky*
cheirar (sentir ou exalar cheiro) › *(to) smell*

cherne; cherna; chernote › *black grouper; black jewfish*
cherne-vermelho › *red snapper*
chiclete › *gum; chewing gum*
chicória › *chicory; endive; escarole*
chimarrão › *maté*
chocolate › *chocolate*
chocolate em barra › *candy bar; chocolate bar*
chocolate em barra sem açúcar › *bitter baking chocolate*
chocolate granulado › *chocolate sprinkles* **(US)**; *jimmies* **(US)**; *chocolate vermicelli* **(UK)**
chocolate quente (bebida) › *cocoa; hot chocolate*
chocolate meio-amargo › *semi-sweet chocolate* **(US)**; *plain chocolate* **(UK)**
chope › *draught beer; draft beer*
chouriço › *black pudding* **(UK)**; *blood sausage* **(US)**
chuchu › *chayote*
chucrute › *sauerkraut*
churrascaria › *barbecue restaurant*
churrasco › *barbecue; BBQ*
churrasqueira › *barbecue pit*
churrasqueiro › *person who cooks at a barbecue*
cidra › *citron*
clara de ovo › *egg white*
clarificar › *(to) clarify*
club soda › *club soda*
coador › *strainer; sieve*
coador de café › *coffee filter*
coador de chá › *tea strainer*
coador de coquetel › *bar strainer*
(certa variedade de) coalhada adoçada › *junket*
coalhar › *(to) curdle*
coalho › *curds*
coar › *(to) drain; (to) strain*
cobertura para bolo › *icing; frosting*
cobrir › *(to) top; (to) cover*
cobrir (bolo) com glacê › *(to) frost*
cobrir carne com toucinho › *(to) bard*
cobrir (com farinha) › *(to) flour; (to) dredge*

cobrir (com glacê, suspiro etc.) › *(to) frost; (to) ice*
cobrir (com pão ralado) › *(to) bread*
coco › *coconut*
coco ralado › *desiccated coconut* **(UK)**; *shredded coconut* **(US)**
codorna › *quail*
codorniz › *wild quail*
coelho › *rabbit*
coentro › *coriander; leaf coriander; cilantro; Chinese parsley*
confeitar › *(to) pipe*
cogumelo › *mushroom; white mushroom; button mushroom*
colheita › *harvest; crop*
colher V › *(to) reap; (to) harvest*
colher (de medida) › *measuring spoon*
colher de chá (medida) › *teaspoon*
colher de pau › *wooden spoon*
colher de sopa (medida) › *tablespoon*
colher de sopa (para tomar sopa) › *soup spoon*
colocar (biscoitos na assadeira) › *(to) drop*
colocar ingrediente dentro de outro e misturar bem › *(to) blend in*
colocar › *(to) place; (to) turn out dough*
comer › *(to) eat (past ate, past participle eaten)*
comer avidamente › *(to) devour; (to) scoff*
comer demais › *(to) over eat*
comer em restaurante; comer fora › *(to) dine out; (to) eat out*
comer o jantar › *(to) dine*
comer ou beber muito devagar › *(to) nurse*
comer um lanche › *(to) nosh; (to) munch; (to) have a snack*
comestível › *edible*
com fome ADJ › *hungry*
comida › *food; chow* (coloquial); *fare; spread* (coloquial)
comida congelada › *frozen food*
comida de baixo valor nutritivo e alto teor de gordura e/ou açúcar › *junk food*
comida de passar no pão › *spread*

comida de preparo rápido › *fast food*
comida nutritiva e sem substâncias artificiais › *health food*
comida orgânica › *organic food*
comida para viagem › *takeaway* **(UK)**; *takeout* **(US)**; *food to go*
comida que não requer muito preparo (P.EX., enlatados e congelados) › *convenience food*
comida tratada com conservante › *processed food*
comilança › *gluttony*
comilão ADJ › *greedy*
comilão S › *gourmand; glutton*
cominho › *cumin*
compactar › *(to) pack*
compota › *preserves*
concha (envoltório) › *shell*
concha para alimentos secos ou sorvete › *scoop*
concha para feijão e sopa › *ladle*
confeitaria › *bakery*
confeiteiro › *baker*
conferir › *(to) check*
(pedido formal de) confirmação de presença › *R.S.V.P.* (em francês: *répondez s'il vous plait*)
confrei › *comfrey*
congelado a vácuo › *dry frozen*
congelador (aparelho à parte) › *deep freezer (separate unit)*
congelador (parte da geladeira) › *freezer (of a refrigerator)*
congelar › *(to) freeze (past froze, past participle frozen)*
congelar a vácuo › *(to) freeze dry*
conhaque › *cognac; brandy*
conhecedor de comida e bebida fina › *gourmet; connoisseur*
conserva › *preserves*
(pepino etc. em) conserva › *pickles*
conta de restaurante › *check* **(US)**; *bill*
continuar › *(to) continue*
copeiro › *dish washer*
copo › *glass; drinking glass*
copo medidor › *measuring cup*

coquetel › *short drink; cocktail*
coqueteleira › *cocktail shaker*
coquilles Saint-Jacques › *scallops*
coração › *heart*
corante › *food coloring*
corar › *(to) brown*
cordeiro (cordeirinho) › *lamb*
corrigir › *(to) correct*
cortador de biscoito › *cookie cutter*
cortador de pão de minuto › *biscuit cutter*
cortador de ovos › *egg slicer*
cortador de queijo › *cheese slicer*
cortador para fazer bolinhas de fruta; boleador de frutas › *melon baller*
cortador para fazer bolinhas de manteiga; boleador de manteiga › *butter curler*
cortar › *(to) cut;* (aparar) *(to) trim*
cortar em cubinhos › *(to) dice*
cortar em cubos › *(to) cube*
cortar em gomos ou pedaços › *(to) section*
cortar (ervas) em pedacinhos com uma tesoura › *(to) snip*
cortar em pedaços finos e compridos (juliana) › *(to) cut julienne*
cortar em pedaços miúdos › *(to) mince*
cortar em tirinhas › *(to) shred*
cortar em tirinhas bem fininhas de folhas › *(to) chiffonade*
cortar uma fenda › *(to) slash*
(fazer) cortes leves › *(to) score*
corvine › *corvina, a fish related to the weakfish and the croaker*
costas › *back*
costela › *rib*
costeleta de porco › *spareribs*
costeleta de vitela › *veal cutlet*
couve › *collards; collard greens (a kind of kale)*
couve-de-bruxelas › *Brussels sprouts*
couve-flor › *cauliflower*

couve-rábano › *kohlrabi*
coxa de ave › *drumstick*
cozer a fogo lento › *(to) coddle*
cozinha de navio › *galley*
cozinha fina e elaborada; alta culinária › *haute cuisine*
cozinhar › *(to) cook*
cozinhar apenas até deixar parcialmente cozido › *(to) parboil*
cozinhar com bastante molho › *(to) stew*
cozinhar em panela de pressão › *(to) pressure cook*
cozinhar no vapor › *(to) steam*
cozinhar ovos e vegetais › *(to) boil*
cozinhar rapidamente em água ou caldo temperado › *(to) poach*
cozinheiro(a) › *cook*
cozinheiro(a)-chefe › *chef*
cozinheiro(a) de fast food › *short order cook*
cravo-da-índia › *clove*
cream cracker › *soda cracker*
creme › *cream; a creamy substance; pudding* **(US)**; *custard* **(UK)**
creme chantilly › *whipped cream*
creme cracker em forma de bolinha › *oyster cracker*
creme de leite › *cream (in Brazil, about 25% fat; in the USA, 18-20%)*
creme de leite azedo (mas não azedado), semelhante à coalhada, feito com ácido láctico › *sour cream; cultured sour cream*
creme de leite com bem pouca gordura › *half and half* **(US)**
creme de leite com teor alto de gordura › *heavy cream* **(US)**; *double cream* **(UK)**
creme de leite com teor baixo de gordura › *light cream* **(US)**; *single cream* **(UK)**
creme para chantilly › *whipping cream*
creme para doces › *custard*
cremor tártaro › *cream of tartar*
cremoso › *creamy*
crescer › *(to) expand; (to) rise*

crocante › *crispy*
cru; não-cozido › *raw*
culinária › *cuisine*
curar › *(to) cure*
curcuma › *turmeric*
curry; caril › *curry*
cutelo › *cleaver*

D

damasco › *apricot*
damasco seco › *dried apricot*
dar comida; dar de comer › *(to) feed*
dar de mamar › *(to) nurse*
dar graças pela comida › *(to) say grace*
dar uma misturada › *(to) combine*
debulhar › *(to) remove corn from the cob*
defumado › *smoked*
degustação de vinho › *wine tasting*
deitar (em líquido) › *(to) drop (into liquid)*
deixar amolecer › *(to) soften*
deixar de lado › *(to) set aside*
deixar de molho; demolhar › *(to) let soak*
deixar de pôr › *(to) omit*
deixar descansar › *(to) let rest*
deixar endurecer › *(to) let set; (to) set*
deixar quieto › *(to) let stand*
(azeite-de-)dendê › *red palm oil*
demolhar; deixar de molho › *(to) let soak*
dente de alho › *garlic clove*
(folhas de) dente-de-leão › *dandelion greens*
derramar › *(to) spill*
derreter › *(to) melt*
descanso de travessas › *trivet*
descanso em forma de grelha › *rack; wire rack*

descanso para copo ou garrafa › *coaster*
descaroçador de azeitona › *olive pitter*
descaroçador de frutas › *apple corer*
descaroçar › *(to)stone* **(UK)** ; *(to) core; (to) pit; (to) seed* **(US)**
descartar › *(to) discard; (to) dispose of*
descascador de legumes › *scraper; vegetable parer; vegetable scraper*
descascar › *(to) pare; (to) peel; (to) skin*
descongelar › *(to) defrost*
desenformar › *(to) unmo(u)ld*
desengordurar › *(to) remove the fat*
desentupidor de pia › *plunger*
desfiar › *(to) shred*
desidratar › *(to) dehydrate*
desmanchar-se por já estar pronto (peixe) › *(to) flake (fish)*
desnatar › *(to) skim*
desossar › *(to) bone*
despejar (líquido) › *(to) pour*
despejar (massa numa fôrma) › *(to) turn into*
despelar › *(to) skin*
despensa › *larder; pantry*
desperdício › *waste*
destampar › *(to) uncover*
destrinçador de frango › *poultry scissors*
devorar › *(to) gulp; (to) devour; (to) gobble; (to) gorge*
dica › *tip*
dieta; regime › *diet*
difícil de cortar ou mastigar (com referência a carne) › *tough*
digerir › *(to) digest*
digestível › *digestible*
dill › *dill; dillweed*
diluir › *(to) dilute*
diminuir › *(to) reduce*
dissolver › *(to) dissolve*
dividir › *(to) divide*
dividir ao meio › *(to) half*

dividir em quatro partes › *(to) quarter*
dobrar › *(to) fold*
doces › *sweets; candy*
docinhos › *candies* **(US)**; *sweets* **(UK)**
dosador para bebidas › *jigger*
dourado (o peixe) › *gilded catfish*
dourar › *(to) brown*
dourar carne › *(to) seal meat* **(UK)**; *(to) sear meat* **(US)**

E

echalota, chalota › *shallot*
economia doméstica › *home economics (*ABREV. *home ec)*
efervescência › *fizz*
efervescer › *(to) fizz*
eletrodoméstico › *(home) appliance*
embeber › *(to) soak; (to) marinate*
embrulhar › *(to) wrap*
emendar a beirada da torta com a ponta dos dedos › *(to) flute*
empanar › *(to) coat; (to) dredge*
empregada doméstica › *maid*
encharcado › *soggy*
encher › *(to) fill*
encorpar › *(to) thicken*
encostar › *(to) touch*
endívia (variedade de chicória) › *endive (also Belgian endive, French endive, Belgian chicory; in England, chicory)*
endro › *dill; dillweed*
endurecer (gelatina) › *(to) congeal (gelatin)*
enfarinhar › *(to) dredge; (to) flour; (to) dust*
enfeitar › *(to) decorate; (to) garnish*
enfiar › *(to) insert; (to) stick*
enformar › *(to) put in a pan or mo(u)ld*

engolir › *(to) swallow*
engolir (com pressa; devorar) › *(to) gobble; (to) bolt; (to) gulp*
engolir (fartar-se) › *(to) gorge*
engradado › *crate*
engrossar › *(to) thicken; (to) congeal (gelatin)*
enguia › *eel*
enlatado ADJ › *canned* **(US)***; tinned* **(UK)**
enrolar › *(to) roll (up)*
ensopado › *stew*
ensopar › *(to) stew*
entrada › *starter; hors d'oeuvre; appetizer*
entroduzir (alho); espetar (cravo) › *(to) stud*
(pão) envelhecido › *stale (bread)*
enxaguar › *(to) rinse*
erva-cidreira; capim-limão › *lemon grass*
erva-doce › *fennel; sweet fennel; anise; aniseed; bulb fennel*
ervas › *herbs*
ervilha › *peas; green peas*
ervilha partida ou seca › *split peas; dried peas*
ervilha-torta (ervilha chata) › *mangetout* **(UK)***; snow peas* **(US)***; sugar snap pea*
escaldar leite (aquecê-lo até um pouco antes de ferver) › *(to) scald*
escaldar para tirar a pele › *(to) blanche*
escaldar peixe › *(to) poach*
escamar › *(to) scale*
escamas › *scales*
escargot › *snails; escargot*
escarola › *escarole*
escolher › *(to) choose; (to) pick over (rice)*
escorredor de macarrão › *colander*
escorredor de pratos › *dish drainer*
escorrer › *(to) drain (to use the solids); (to) strain (to separate the solids from liquids, using either); (to) run (icing)*
escova para limpar hortaliças › *vegetable brush*
escumadeira › *skimmer*

escumadeira, um tipo › *slotted spoon*
escumar › *(to) skim*
esfarelar ricota › *(to) crumble ricotta*
esfregar › *(to) scrub; (to) rub*
esfriar › *(to) cool*
esmagar › *(to) crush; (to) press*
esmigalhar pão › *(to) crumble bread*
espaguete › *spaghetti*
espalhar › *(to) spread*
espatula › *fish slice* **(UK)***; spatula* **(US)***; pancake turner; rubber spatula; rubber scraper; spreader knife*
espátula para bolo; pá para bolo › *spatula*
especiaria › *spice*
espetar › *(to) skewer*
espetar (cravo); entroduzir (alho) › *(to) stud*
espeto › *spit; skewer*
espiga de milho › *cob; corn on the cob*
espinafre › *spinach*
espinha › *fish bones*
espírito de madeira; álcool metílico › *wood alcohol*
esponja de aço; palha de aço; Bombril › *steel wool*
espremedor de alho › *garlic press*
espremedor de batata › *potato ricer*
espremedor de frutas › *citrus juicer*
espremedor de limão › *lemon squeezer*
espremer batatas › *(to) mash (potatoes)*
espremer de leve › *(to) press lightly*
espremer laranjas, limões › *(to) squeeze (oranges, lemons)*
espuma › *froth*
esquentar › *(to) heat*
esquentar até o ponto de fervura › *(to) bring (past/ past participle brought) to a boil*
esquilo › *squirrel*
essência (de baunilha, etc) › *essence* **(UK)***; extract* **(US)**
estar pronto › *(to) be done*
estender massa; abrir massa › *(to) roll out (dough)*
estocar › *(to) store*
estômago de ave; moela › *gizzard*

estourar (pipoca etc.) › *(to) burst (past/past participle burst); (to) pop*
estragado › *soured; spoiled*
estragão › *tarragon*
estragar › *(to) spoil; (to) rot*
estripar › *draw (past drew, past participle drawn)*
evento › *affair*
eviscerar › *(to) eviscerate*
eviscerar camarão › *(to) devein*
exalar › *(to) smell*
experimentar › *(to) taste*
extrato de tomate › *tomato paste; tomato extract*

F

faca de cozinha de tamanho médio › *utility knife*
faca de descascar fruta › *paring knife*
faca grande para carnes assadas › *carving knife*
faca serrilhada; faca dentada › *serrated knife*
faisão › *pheasant*
farelo › *bran*
farelo de aveia › *oat bran*
farelo de trigo › *wheat bran*
farinha › *flour*
farinha de arroz › *rice flour* **(US)**; *ground rice* **(UK)**
farinha de mandioca › *cassava flour; manioc flour*
farinha de milho desidratada, do tipo mexicano › *masa harina*
farinha de rosca › *bread crumbs, of the fine, dry type*
farinha de trigo › *plain flour* **(UK)**; *all-purpose flour* **(US)**
farinha de trigo integral › *wholemeal flour* **(UK)**; *whole wheat flour; graham flour* **(US)**
farinha de trigo para pão (feito de trigo duro) › *strong flour* **(UK)**; *bread flour* **(US)**
farra › *binge*

fartar-se › *(to) gorge*
fatia › *slice*
fatiar › *(to) slice*
fatiador › *slicer*
fava › *fava bean* **(US)**; *broad bean* **(UK)**
fava de baunilha › *vanilla pod* **(UK)**; *vanilla bean* **(US)**
favo de mel › *honeycomb*
fazer camadas › *(to) layer*
fazer cerveja › *(to) brew*
fazer ligar; dar liga › *(to) knead or mix until it no longer sticks to the surface*
fazer purê › *(to) mash; (to) puré; (to) puree*
fazer regime › *(to) diet*
fechar bem › *(to) seal*
fécula › *starch*
feijão-branco › *white beans*
(certa variedade miúda de) feijão-branco › *navy beans*
feijão-carioquinha › *pinto beans*
feijão-comum › *kidney beans*
feijão-fradinho › *black-eyed peas; cowpea*
feijão-preto › *black beans*
feijão-roxinho › *kidney beans; red beans*
feijão soja; soja › *soybean; soy* **(US)**; *soya* **(UK)**
feira livre › *street market; farmers' market*
fermentado › *sour*
fermentar › *(to) leaven; (to) ferment*
fermento biológico fresco em tablete › *compressed yeast (fresh)*
fermento biológico seco › *dry yeast*
fermento químico em pó › *baking powder*
ferver › *(to) boil*
ferver em fogo brando › *(to) simmer*
festa de casamento › *wedding reception*
festa do tipo piquenique; excursão de recreio › *junket*
festim › *banquet*
fibra › *fiber/fibre*
fibra branca (filamento) encontrada especialmente na laranja e no pimentão › *pith*

fibra de carne › *grain*
fígado › *liver*
figo › *fig*
figo-da-índia › *prickly pear*
filão (de pão) › *loaf of bread*
filé › *fillet; tenderloin*
fileira › *tier*
filme plástico › *cling film* **(UK)**; *plastic wrap* **(US)**
filtro › *filter*
filtro de água › *water filter*
flambar › *(to) flame; (to) flambé*
flocos de milho › *cornflakes*
flutuar › *(to) float*
focinho › *snout*
fogão › *cooker* **(UK)**; *stove* **(US)**; *kitchen range*
folhado › *pastry*
fôrma de abrir › *spring form*
fôrma de anel; fôrma de buraco no meio; fôrma de furo › *tube pan*
fôrma de fundo removível › *layer cake tin with removable bottom*
fôrma de gelo › *ice tray*
fôrma de pudim › *tube pan; mo(u)ld*
fôrma de torta › *pie pan; pie tin*
fôrma para assar rocambole › *jelly roll pan* **(US)**; *Swiss roll tin* **(UK)**
fôrma para bolo › *cake pan; cake tin; layer pan*
fôrma para bolo inglês; fôrma para pão › *bread pan; bread tin*
fôrma para waffles › *waffle iron*
fôrma refratária › *ovenproof casserole dish*
formar › *(to) form; (to) shape*
formar bolhas › *(to) develop bubbles*
forminha › *small mo(u)ld; tin*
forminha de empada › *muffin tin; muffin pan*
fornecedor de refeições para clube, hotel, casa etc.; banqueteiro › *caterer*
forninho elétrico; miniforno › *toaster oven*

forno › *oven*
forno de microondas › *microwave oven*
forrar (com papel) › *(to) line*
fósforos › *matches*
framboesa › *raspberry*
franga › *pullet*
frango › *chicken*
frango para assar › *roaster*
frango para broiling ou para grelhar › *broiler*
frango para fritar › *fryer*
freezer (parte da geladeira) › *freezer*
freezer (aparelho à parte) › *deep freezer*
friável › *crispy*
frigideira › *frying pan; pan; skillet*
frios › *cold cuts*
fritadeira; panela funda para fritura (podendo ser elétrica) › *deep fat fryer*
fritar bife › *(to) fry (steak)*
fritar em bastante oleo › *(to) fry in deep fat; deep fat fry*
fritar mexendo sempre, à moda chinesa › *(to) stir-fry*
fruta › *fruit*
fruta-pão › *breadfruit*
frutas cítricas › *citric fruit*
fruta cristalizada › *crystallized fruit* **(UK)**; *glacé fruit* **(UK)**; *candied fruit*
frutas e hortaliças › *produce*
frutas oleoginosas › *nuts*
frutas secas › *dry fruit*
frutas vermelhas › *red fruit and berries*
frutos do mar › *shellfish*
frutos do mar ou peixe › *seafood*
fubá › *cornmeal* **(US)**; *maize flour*
fubá fino › *corn flour* **(US)**; *finely ground cornmeal* **(UK)**
funghi; cogumelos; champignons › *mushrooms; fungi*
fungo › *mo(u)ld; fungus*
funil › *funnel*
furar com garfo › *(to) prick*

G

galeto › *spring chicken*
galheteiro › *salt and pepper shakers*
galinha › *chicken*
ganso › *goose*
garçom/garçonete › *waiter/waitress*
garçom-chefe; chefe de garçons › *maître d'(hôtel); headwaiter*
garfo › *fork*
garfo e faca grandes para servir carne assada › *carving set*
garoupa › *grouper*
garrafa › *bottle*
garrafa para decantar licores ou vinhos › *decanter*
garrafa térmica › *thermos*
garras › *claws*
gastrônomo › *epicure*
gaveta de verduras › *vegetable bin; vegetable drawer*
geladeira › *fridge; refrigerator; ice box*
geladeira de isopor › *Styrofoam ice chest*
gelar (champanhe) › *(to) ice*
gelatina › *jello* **(US)**; *jelly* **(UK)**
gelatina em folha › *sheet gelatin*
gelatina em pó › *powdered gelatin*
gelatinizar › *(to) jell; (to) gel*
geléia amarga de laranja ou limão › *marmalade (orange or lemon)*
geléia (com pedaços de fruta) › *preserves* **(UK)**; *jam* **(US)**
geléia de carne › *aspic*
geléia transparente › *jelly*
gelo em bloco; gelo em barra › *block ice*
gelo em cubos › *ice cubes*
gelo picado › *cracked ice*
gelo raspado › *shaved ice*
gema › *egg yolk*
gengibre › *ginger*
(raiz de) gengibre › *root ginger* **(UK)**; *gingerroot* **(US)**

gergelim › *sesame seed*
gérmen de trigo › *wheat germ*
girassol › *sunflower*
glacê › *icing; glaze*
glicose de milho; Karo (feito de milho) › *glucose syrup* **(UK)**; *corn syrup* **(US)**
(xarope de) glucose (feito de cana) › *golden syrup* **(UK)**
glutamato monossódico › *monosodium glutamate; MSG; Accent*
glutão › *glutton; greedy*
glúten › *gluten*
goiaba › *guava*
gordura › *fat; grease*
gordura de bacon › *bacon drippings; bacon fat*
gordura vegetal; banha vegetal › *vegetable lard*
gorduroso › *fattening; fatty; greasy*
gorjeta › *tip*
grão › *corn* **(UK)** *; grain*
grão-de-bico › *garbanzo beans; chick peas*
grão de pimenta › *peppercorn*
grão de trigo › *wheat berry*
grão moído › *meal*
grão ou semente semelhante ao trigo ou milho › *kernel*
gratinado › *au gratin*
grelha › *grill*
grelhar (com a fonte de calor acima da comida) › *(to) broil*
groselha › *gooseberry*
(certa variedade de) groselha (o fruto) › *fresh currants*
grosso › *coarse*
grudar › *(to) stick*
guaraná › *guarana*
guardanapo › *napkin*
guardar › *(to) reserve; (to) put away*
guarnecer › *(to) garnish*
guelras › *gills*

H

haliote › *abalone*
hambúrguer › *hamburger*
hibisco › *hibiscus*
hortaliças › *vegetables*
hortelã › *mint family*
hortelã-comum (hortelã-verde) › *spearmint*
hortelã-pimenta › *peppermint*
hóstia › *wafer*

I

Ideal; leite concentrado sem açúcar; leite evaporado › *evaporated milk*
iguarias numa refeição (prato) › *course*
(de) imitação ADJ › *ersatz*
(arroz) integral › *brown rice*
(farinha) integral › *graham flour; whole wheat flour*
(pão) integral › *whole wheat bread*
intestinos › *guts* (coloquial)*; intestine*
iogurte › *yogurt; yoghurt*

J

jaca › *jackfruit*
jarra › *jug; pitcher*
jejum › *fasting*
joelho de porco › *ham hock*
jogar (deixar cair sobre) › *(to) drop*
jogar fora › *(to) discard; (to) dispose of; (to) throw away*

jogar por cima › *(to) sprinkle*
jogo americano › *place mat*
jogo de facas › *cutlery*
juntar › *(to) combine; (to) mix in; (to) mix together*
juntar batendo › *(to) beat in*
juntar mexendo sempre › *(to) stir in*
juntar misturando levemente › *(to) fold (in)*

K

Karo; glicose de milho › *glucose syrup* **(UK)**; *corn syrup* **(US)**
kummel › *caraway seeds*

L

lagosta › *lobster*
lagostim › *crayfish; crawfish*
lanche › *nosh; bite; snack*
laranja › *orange*
lascas › *shavings*
lasquinhas de casca de frutas cítricas › *zest*
lata de lixo › *rubbish bin* **(UK)**; *garbage can, trash can* **(US)**
laticínios › *dairy products*
lava-louça › *dish washer*
lava-roupa › *washing machine*
lavar › *(to) wash*
lebre › *hare*
lechia › *lychee*
legumes › *vegetables; legumes*
leitão › *piglet; suckling pig*
leite › *milk*
leite achocolatado › *chocolate milk*

leite concentrado sem açúcar; leite evaporado; Ideal › *evaporated milk*

leite condensado › *sweetened condensed milk*

leite desnatado ou semidesnatado talhado com a bactéria do ácido láctico › *buttermilk*

leite desnatado › *nonfat milk; skim milk*

leite em pó › *powdered milk*

leite em pó desnatado instantâneo › *instant skim powdered milk*

leite estragado › *spoiled milk*

leite evaporado; leite concentrado sem açúcar; Ideal › *evaporated milk*

leite homogeneizado › *homogenized milk*

leite integral › *whole milk*

leite pasteurizado › *pasteurized milk*

leite semidesnatado › *lowfat milk*

leite talhado › *curdled milk*

lentilha › *lentil*

levantar fervura › *(to) bring (past/past participle brought) to a boil*

levar de novo ao fogo › *(to) return*

levedo; levedura › *dry yeast*

levedo de cerveja; levedura de cerveja › *brewer's yeast*

lichia › *lychee*

licor › *cordial; liqueur*

licor de cereja › *cherry liqueur*

ligar ingredientes › *(to) bind (past/past participle bound)*

limão (variedade americana de cor amarela, menos ácido que o lime; limão-siciliano) › *lemon*

limão (variedade americana de cor verde, mais ácido que o lemon) › *lime*

limpar › *(to) clean*

limpar peixe › *(to) gut fish* **(UK)**; *(to) clean fish*

língua › *tongue*

linguado › *flounder; resembles sole*

lingüiça › *sausage*

lingüiça de Bolonha › *baloney*

liquidificador › *blender*

liquidificar › *(to) blend in*
lixo › *garbage; trash; waste*
lombinho › *pork tenderloin*
lombo › *tenderloin*
(certa parte do) lombo da vaca › *sirloin*
louça › *china; chinaware; porcelain*
louro › *bay leaf*
lula › *squid*

M

maçã › *apple*
(vinagre de) maçã › *cider vinegar*
macarrão › *pasta*
macerar (expor à ação prolongada de líquido, ensopando) › *(to) macerate; (to) marinate; (to) pickle; (to) soak*
macerar (moer) › *(to) grind*
machadinha › *meat chopper; meat cleaver*
maço › *bunch*
maionese › *mayonnaise*
maisena; Maisena › *corn flour* **(UK)**; *cornstarch* **(US)**
malpassado › *rare*
mamão › *a fruit similar to papaya*
mandar pôr › *(to) require*
mandioca › *cassava; manioc; yucca*
(sagu) mandioca › *tapioca*
mandioca-brava (para fazer farinha) › *cassava for making flour*
manga › *mango*
manjericão › *basil*
manjerona › *sweet marjoram*
manjuba; manjubinha › *smelt*
manso › *mild*
manteiga › *butter*

manteiga indiana de leite de búfala, clarificada; manteiga ghee › *ghee*
manteigueira › *butter dish*
manter › *(to) continue; (to) keep*
manter quente; manter aquecido › *(to) keep hot* (pelando)*; (to) keep warm* (de morno a cálido)
manusear › *(to) handle*
máquina de lavar louça › *dish washer*
máquina de lavar roupa › *washing machine*
máquina de moer carne › *food grinder*
maracujá › *passion fruit*
marca de produto › *brand*
marcador de tempo › *timer*
margarina › *margarine*
margarina cremosa › *soft margarine*
marinar › *(to) marinate*
mariscos › *shellfish; clams; mussels*
marmelada › *quince sweet (thicker than jam)*
marmelo › *quince*
marreco › *mallard duck*
martelo de carne › *mallet*
massa assada de pizza ou torta › *crust*
massa crua de bolo › *batter*
massa crua de pão, pizza ou torta › *dough*
massa de pão em que a fermentação é ativa, típica de San Francisco › *sourdough*
massa italiana (macarrão etc.) › *pasta*
massa italiana comprida e estreita como espaguete, mas achatada; linguine › *linguine*
massa italiana de tubo pequeno e curvo › *macaroni*
massa para torta › *pie shell* **(US)**; *pastry* **(UK)**; *pastry case* **(UK)**
mastigar › *(to) chew (up)*
média (café com leite) › *coffee with milk (in a glass or a cup larger than a demitasse)*
medida de capacidade para líquidos › *liquid measure*
medida de capacidade para secos › *dry measure*
medida de colher cheia › *heaping spoonful*
medida de colher rasa › *level spoonful*

medula; tutano › *marrow*
meio amargo › *bittersweet*
mel › *honey*
(favo de) mel › *honeycomb*
melado de cana › *treacle* **(UK)**; *molasses; blackstrap molasses* (o resíduo escuro e forte da etapa final da refinação do açúcar) **(US)**
melado de sorgo (planta afim do milho) › *sorghum*
melancia › *watermelon*
melão; melão-doce › *honeydew melon*
melão-do-príncipe › *a melon similar to the cantaloupe*
melão-espaguete › *spaghetti squash*
melissa › *lemon balm*
menta › *mint family*
mercearia › *grocery store*
(casa de) mercearias finas e comidas preparadas › *delicatessen; deli*
merceeiro › *grocer*
mergulhar › *(to) dip; (to) drop into liquid*
mexer › *(to) mix; (to) stir*
mexer ovos › *(to) scramble eggs*
mexerica › *tangerine*
mexilhão › *shellfish; mussels*
migalha de pão branco › *fresh bread crumbs*
milho verde › *sweetcorn; maize (para animais)* **(UK)**; *corn* **(US)**
(amido de) milho › *cornstarch*
(flocos de) milho › *cornflakes*
(olho de) milho › *corn oil*
minerais › *minerals*
mingau (de aveia) › *oatmeal* **(US)**; *porridge* **(UK)**
mingau de trigo › *farina; Cream of Wheat* (produto de trigo de tipo mole) **(US)**; *semolina* (produto de trigo de tipo duro) **(UK)**
miniforno; forninho elétrico › *toaster oven*
miolo de pão › *soft center of bread*
miolos › *brains*
(uma das espécies de) mirtilo › *blueberry* **(US)**; *bilberry* **(UK)**
missô › *miso*

mistura para picles, salmoura ou escabeche › *pickling spice*
misturador de bebidas › *swizzlestick*
misturador de massa › *pastry blender; pastry cutter*
misturar › *(to) mix; (to) mix together*
misturar até ficar cremoso › *(to) cream*
misturar bem › *(to) blend in; (to) blend well*
misturar um ingrediente (manteiga) com outro (farinha) usando duas facas (cruzando-as) › *(to) cut in (into)*
miúdos › *innards; gizzards*
moedor de carne › *meat grinder*
moedor de pimenta-do-reino › *pepper grinder; pepper mill*
moer › *(to) grind (past/past participle ground)*
mofo › *mo(u)ld*
moinho › *mill*
moldar › *(to) shape*
molheira › *sauce boat; gravy boat*
molho agridoce › *sweet and sour sauce*
molho apimentado › *hot sauce*
(certa variedade de) molho apimentado de pimenta--malagueta › *tabasco sauce*
molho apimentado de tipo mexicano › *chile sauce; chili; chilli*
molho de carne › *gravy; sauce*
molho de soja › *soy sauce; shoyu*
molho de tomate › *tomato sauce*
molho inglês › *Worcestershire sauce*
molho para salada › *dressing*
moranga; abóbora-moranga › *pumpkin*
morango › *strawberry*
morder › *(to) bite (past bit, past participle bitten)*
moringa; talha › *a water jug made of porous clay*
mortadela › *mortadella*
mostarda › *mustard; prepared mustard*
(folhas de) mostarda › *mustard greens*
mover-se rapidamente › *(to) pop*
moyashi; broto de feijão › *bean sprouts; Mung bean sprouts*
murchar › *(to) wilt*
músculo › *muscle*

N

nabo › *turnip*
não-comestível › *inedible*
nectarina › *nectarine*
noz › *walnut*
(certa variedade de) noz de sabor superior › *black walnut*
noz-moscada › *nutmeg*
noz-pecã › *pecan nut*
nugá › *nougat*
nutrir › *(to) nurture*

O

óleo de canola › *canola oil* **(US)**; *rapeseed oil* **(UK)**
óleo de açafroa › *safflower oil*
óleo de soja › *soy (bean) oil*
óleo vegetal › *vegetable oil; salad oil*
ordenhar › *(to) milk*
orégano › *oregano*
osso › *(meat or chicken) bone*
ostras › *oysters*
ova de peixe › *roe*
ovo › *egg*
ovos cozidos duros › *hard-boiled eggs*
(utensílio para fazer) ovos poché › *egg poacher*

P

pá › *scoop*
pá de lixo › *dustpan*

pá para bolo; espátula para bolo › *spatula*
padeiro › *baker*
padaria › *bakery*
paladar › *palate; tastebuds*
palha de aço; esponja de aço; Bombril › *steel wool*
paliteiro › *toothpick holder*
palito › *cocktail stick* **(UK)**; *toothpick* **(US)**
palmito › *heart of palm*
panela de pressão › *pressure cooker*
panela de tamanho médio › *saucepan*
panela especial para banho-maria ou cozimento a vapor › *double boiler*
panela funda › *pot*
panela funda para fritura (podendo ser elétrica); fritadeira › *deep fat fryer*
panela funda refratária com tampa; caçarola › *casserole*
panela pesada com tampa abaulada e bem fechada › *Dutch oven (heavy pot with a domed, tight-fitting cover)*
panela rasa; frigideira › *pan*
panela wok; wok › *wok*
(bateria de) panelas › *set of saucepans*
pano de gaze para cozinha › *muslin* **(UK)**; *cheese cloth*
pano de prato › *tea towel* **(UK)**; *dish cloth; dish towel* **(US)**
pano usado para ajudar a abrir massa › *pastry cloth*
panqueca › *crepe*
panqueca americana › *pancake*
pão › *bread*
(casca de) pão › *bread crust; crust*
pão de centeio › *rye bread*
pão de fôrma; pão americano › *sandwich loaf*
pão de minuto › *biscuit* **(US)**
pão de trigo › *wheat bread*
pão dormido; pão amanhecido › *day-old bread*
pão francês (filão; baguete) › *French bread*
pão francês (pãozinho) › *French roll*
pão integral › *brown bread* **(UK)**; *whole wheat bread* **(US)**
pão italiano › *Italian bread*

pão mexicano fino e redondo feito de farinha de milho ou trigo; tortilha mexicana; tortilla › *tortilla*
(certa variedade de) pão não-fermentado chato e quebradiço › *matzoh*
pão preto › *rye bread*
pão pumpernickel › *pumpernickel*
pão sírio › *pita bread; Syrian bread*
pão velho › *stale bread*
pão-duro (espátula de plástico ou silicone para raspar tigelas) › *rubber spatula; rubber scraper*
pãozinho em forma de anel › *bagel*
pãozinho francês › *French roll*
pãozinho redondo, salgado ou doce › *bun*
pãozinho › *roll*
papaia › *papaya; papaw; pawpaw*
papel-alumínio › *aluminum foil*
papel-manteiga › *parchment; a paper similar to waxed paper*
papel-toalha; toalha de papel › *kitchen paper* **(UK)**; *paper towel* **(US)**
páprica doce › *paprika*
páprica picante › *hot red pepper*
parte › *portion*
partes não-aproveitadas (vísceras) da rês abatida › *offal*
partir (dividir) › *(to) split*
passado (velho) › *stale*
passar um bife › *(to) fry*
passar de um recipiente para outro › *(to) transfer*
passar manteiga › *(to) butter*
passar pela farinha › *(to) dredge; (to) flour*
passar pela peneira › *(to) rub through*
pássaro jovem, em especial pombo › *squab*
(uvas) passas › *raisins*
pasta de fruta › *fruit butter*
pata de caranguejo › *crab leg*
patas › *feet*
patê › *paté*
pato › *duck*
pato novo › *duckling*

pau de macarrão › *rolling pin*
pé de porco › *pig's trotter* **(UK)**; *pig's feet* **(US)**
pedacinho › *morsel; small piece*
pedir › *(to) require*
pegador › *tongs*
pegador de panela › *pot holder*
pegar com pá › *(to) scoop*
pegar com colher › *(to) spoon*
peito › *breast*
peixe › *fish*
peixe-espada › *swordfish*
peixe frito com batata frita (prato inglês) › *fish and chips*
peixe-gato › *catfish*
peixe ou frutos do mar › *seafood*
pequenina porção › *dash*
pelar (tirar casca ou pele) › *(to) peel; (to) skin*
pelotas › *lumps*
peneira › *sieve; sifter*
peneira para farinha de trigo › *sifter*
peneira para fazer purê (tipo de moinho manual) › *food mill*
peneirar › *(to) sift*
pepino › *cucumber; cuke*
pepino em conserva › *pickle*
pêra › *pear*
perca › *perch*
perdiz › *partridge*
peru › *turkey*
pesado (rico em gordura, calorias etc.) › *rich*
pescada › *a sole-like fish*
pescoço › *neck*
pesos e medidas do antigo sistema britânico (libras, polegadas, pints etc.) › *Imperial weights and measures*
pêssego › *peach*
pessoa que janta › *diner*
petisco › *tidbit; titbit*
petit four › *a cake the same size and shape as American petit four but usually savo(u)ry, not sweet*

pia › *sink*
picante › *tart; sharp; spicy; hot*
picar › *(to) chop*
picar em pedaços bem miúdos › *(to) mince*
picles › *pickles*
pilãozinho › *mortar*
pimenta-branca › *white pepper*
pimenta-da-jamaica › *allspice*
pimenta-de-caiena › *cayenne pepper*
pimenta-do-reino › *black pepper*
pimenta-mexicana › *chili; chilli; chile*
pimenta-picante › *hot pepper; red pepper*
pimenta-rosa › *pink peppercorns*
pimenta-vermelha › *red pepper*
pimentão › *capsicums* **(UK)**; *bell pepper* **(US)**; *green pepper*
pimentão-doce (vermelho) › *red sweet pepper; red bell pepper*
pimentão-doce (variedade encontrada normalmente em conserva) › *pimiento; pimento*
pimenteiro › *pepper shaker*
pincel de cozinha › *basting brush; pastry brush*
pincelar › *(to) baste (with or without a brush); brush*
pingado (café com leite) › *coffee with just a little milk (in a large glass)*
pingos (sumo, gordura) da carne ao assar › *drippings*
pinha › *sweet-sop*
pinhão › *a type of pine nut*
pinoli, certa variedade de pinhão › *pine nuts* **(US)**; *pine kernels* **(UK)**
pipoca › *popcorn*
piquenique › *picnic*
pires › *saucer*
pirex › *Pyrex dish; casserole dish*
pirex fundo › *deep baking dish* **(US)**; *pie dish* **(UK)**
pirolito › *lollipop*
pistache › *pistachios*
pitada › *pinch*
pitanga › *Suriname cherry*

plantação › *cultivated land* (*plantation* é mais usado para designar latifúndio de monocultura, em especial dos tempos da colônia ou da escravidão)
plissar a borda de uma torta › *(to) crimp*
pó Royal; fermento químico em pó › *baking powder*
polpa de fruta › (carnosidade) *flesh;* (suco) *pulp*
polpa de tomate › *tomato pulp*
polvilhar › *(to) sprinkle (powder); (to) dust*
polvo › *octopus*
pomelo › *grapefruit*
ponche › *punch*
poncheira › *punch bowl*
pôr › *(to) drop; (to) place*
pôr a mesa › *(to) set the table*
pôr de molho › *(to) soak*
pôr em camadas › *(to) layer*
pôr em infusão › *(to) steep*
pôr em ordem › *(to) arrange*
pôr na geladeira › *(to) refrigerate*
pôr no espeto › *(to) skewer*
pôr pedacinhos de manteiga sobre alguma coisa › *(to) dot*
porão › *cellar*
porão para guardar raízes ou tubérculos comestíveis › *root cellar*
porca › *sow*
porção › *helping; serving; portion*
porção bem pequena › *bit*
porção de comida repetida › *seconds*
porcelana › *porcelain; china*
(carne de) porco › *pork*
porco capado criado para abate › *hog*
(cogumelo) portobello de tamanho pequeno › *cremini*
porta-bolo › *cake carrier*
porta-copo › *coaster*
porta-gelo; balde de gelo › *ice bucket*
porta-mantimento › *canister*
potável › *potable*
(certa variedade de) pote cerâmico › *crock*

pote de vidro › *jar or bottle*
pote para biscoitos › *cookie jar*
prato (iguaria numa refeição) › *course*
prato de comida › *dish (of food)*
prato de louça › *(china) plate; dish*
prato do dia › *daily special; plat du jour*
prato fundo › *soup plate; soup dish; soup bowl*
prato principal › *entrée* **(US)**; *main dish*
prato raso › *dinner plate*
preaquecer › *(to) preheat*
pressionar › *(to) pack; (to) press*
pressionar levemente › *(to) pat*
presunto (industrializado) › *ham* **(UK)**; *pressed ham; ham* **(US)**
presunto de Parma › *prosciutto*
presunto; têmder › *gammon* **(UK)**; *smoked ham* **(US)**
processador de alimentos › *food processor*
proteína de soja fina; proteína vegetal texturizada fina › *vegetarian mince; texturized soy protein granules (TSP); texturized vegetable protein granules (TVP)*
proteína de soja grossa; proteína vegetal texturizada grossa › *vegetarian steak chunks; texturized soy protein chunks (TSP); texturized vegetable protein chunks (TVP)*
provar › *(to) taste*
provar o tempero › *(to) check the seasonings*
pudim › *egg custard* **(UK)**; *custard* **(US)**; *flan*
purê de batata › *mashed potatoes*
purê de maçã › *applesauce*
purê de tomate › *tomato puree*

Q

quebra-nozes; abridor de nozes › *nutcracker*
quebrar (noz etc.) › *(to) break (past broke, past participle broken)*

queijo › *cheese*
queijo de soja; tofu › *soybean curd; tofu*
queijo tipo Ementhal › *Swiss cheese* **(US)**; *Emmentaler cheese* **(UK)**
queimador › *burner*
queimar › *(to) burn*
queimar levemente › *(to) scorch*
quiabo › *okra*
(trigo para) quibe › *cracked wheat*

R

rã › *frog*
rabada › *oxtail*
rabanete › *radish*
rabo; cauda › *tail*
rachar › *(to) split*
rações › *rations*
raiz-forte › *horseradish*
ralador › *grater*
ralar › *(to) grate*
ralo › *drain*
ramalhete › *bouquet*
rango › *chow* (coloquial)
rapadura › *loaf sugar (raw brown sugar in cakes)*
rapar; raspar › *(to) scrape*
rasgar › *(to) tear (past tore, past participle torn); (to) rend*
raspar; rapar › *(to) scrape*
recepção › *reception*
receptáculo › *bin*
réchaud › *chafing dish*
réchaud elétrico › *warming tray*
rechear › *(to) fill; (to) stuff*
recheio (especialmente de aves) › *dressing; stuffing*
recipiente para guardar pão › *bread box*

reduzir › *(to) reduce*
refeição › *meal*
refeição esplêndida, com muita coisa boa para comer e beber › *feast*
refeição ligeira; boquinha › *bite*
refeição reforçada › *square meal*
refeição na qual todos sentam à mesa › *sit-down meal*
refeição sueca com grande variedade de pratos servidos em bufê › *smorgasbord*
refeitório para estudantes, trabalhadores e outros; cantina escolar, industrial etc. › *cafeteria*
refeitório para soldados, marujos e outros; cantina militar › *mess*
refogar › *(to) sauté*
refogar cebolas para molho › *(to) fry onions for a sauce*
refrigerante › *pop; soda pop; soda*
refrigerante de gengibre › *ginger ale*
refrigerante de gengibre com gosto mais forte que o do ginger ale › *ginger beer*
refrigerar › *(to) refrigerate*
regar › *(to) baste; (to) sprinkle; (to) drizzle*
regime; dieta › *diet*
registro de gás › *gas valve*
rehidratar alimentos secos › *(to) reconstitute*
rehidratar frutas secas › *(to) plump*
repartir › *(to) split*
repolhinho-de-bruxelas › *Brussels sprouts*
repolho › *cabbage*
repolho-roxo › *red cabbage*
requentar › *(to) re-heat; (to) warm up*
resíduo da cana-de-açúcar depois da tiragem de melado › *raw sugar* (o tipo *Barbados* é fino e úmido; o tipo *demerara* é grosso e seco)
reservar › *(to) reserve; (to) book*
resfriar › *(to) chill*
respingar › *(to) sprinkle*
restaurante americano em forma de vagão-restaurante › *diner*

restaurante pequeno › *café*
restaurante pequeno ou despretensioso › *bistro*
restos › *leftovers*
retirar gordura do caldo, sopa › *(to) degrease*
retornar › *(to) return*
revirar › *(to) toss*
rico (em gordura, calorias etc.) › *rich*
rim › *kidney*
robalo › *robalo; snook*
roer › *(to) gnaw*
rolha › *cork; stopper*
rolo de macarrão › *rolling pin*
romã › *pomegranate*
(xarope de) romã › *grenadine*
romper a pele › *(to) burst (past/past participle burst)*
(farinha de) rosca › *bread crumbs, of the fine, dry type*
(fruto da) roseira-silvestre › *rosehip*
rúcula › *rocket* **(UK)**; *argula* **(US)**
ruibarbo › *rhubarb*

S

sabor › *taste*
sabor salgado, picante, ardido e/ou azedo, mas não doce › *savo(u)ry*
saboroso › *palatable; tasty*
saboroso (gosto ou cheiro) › *savo(u)ry*
sabugo › *cob*
sacarina › *saccarhine*
saca-rolha › *corkscrew*
saco de confeiteiro › *decorating bag*
saco de lixo › *bin liner* **(UK)**; *garbage bag* **(US)**
saco plástico › *plastic bag*
safra › *crop; harvest*
safra de vinho › *vintage*

sagu de mandioca › *tapioca*
sal › *salt; table salt*
sal com temperos › *seasoned salt*
sal grosso › *coarse salt*
sal iodado › *iodized salt*
saladeira › *salad bowl*
salame › *salami*
saleiro › *salt shaker*
salgadinhos › *savo(u)ry tidbits, usually an hors d'oeuvre; finger foods*
salitre › *salt peter*
salmão › *salmon*
salmão defumado › *lox; smoked salmon*
salmoura › *brine*
salpicar › *(to) sprinkle (small pieces)*
salsa (salsinha) › *parsley*
salsão › *celery*
(talo de) salsão › *celery rib* **(US)**; *celery stick* **(UK)**
salsicha de cachorro-quente › *frankfurter; hot dog; frank*
salsicha de fígado › *liver sausage; liverwurst*
salsinha › *parsley*
sálvia › *sage*
sanduíche duplo › *double-decker*
saquinho de chá › *tea bag*
sardinhas › *sardines*
sassafrás › *sassafras*
saudável › *wholesome*
sebo › *suet*
secos e molhados › *groceries*
segurelha › *savo(u)ry; summer savo(u)ry*
seiva › *sap*
selecionar › *(to) choose; (to) pick over; (to) select*
semente › *seed*
semente pequena › *pip* **(UK)**; *seed*
semolina › *semolina*
sentir cheiro › *(to) smell*
sentir gosto › *(to) taste*
separador de gemas › *egg separator*

separar › *(to) separate*
serviço americano › *self service*
servido com sorvete › *à la mode*
servir › *(to) serve*
servir a si mesmo › *(to) self-service*
shoyu; molho de soja › *soy sauce; shoyu*
sino de mesa › *bell*
siri › *crab*
sobras › *leftovers*
sobrecoxa › *second joint; thigh*
sobremesa › *dessert; pudding* **(UK)**
sobrepor › *(to) overlap*
socador › *pestle*
socar › *(to) crush; (to) pack*
soja › *soya* **(UK)**; *soy; soybean* **(US)**
(molho de) soja › *soy sauce*
(óleo de) soja › *soy oil; soybean oil*
solidificar (gelatina) › *(to) congeal*
soltar vapor › *(to) release steam*
sopa › *soup*
sopa-creme › *cream soup*
sopa cremosa à base de frutos do mar › *bisque*
sopa desidratada › *dehydrated soup*
sopa do dia › *soupe du jour; soup of the day*
sopa grossa › *chowder*
sopa ou caldo ralo e transparente, normalmente de carne › *bouillon*
sopeira › *soup tureen*
sorgo › *sorghum*
soro de leite › *whey*
sorvete (feito com creme de leite) › *ice cream*
sorvete (feito com leite) › *ice milk*
sorvete de duas bolas › *double-decker*
sovar; amassar (a massa) › *(to) knead*
suave › *mild*
subalimentado; subnutrido › *underfed*
suco › *juice*
suco adoçado, especialmente de limão ou laranja › *ade*

suco de maçã com filtração variável › *cider* **(US)**
suco de maçã fermentado › *hard cider* **(US)**; *cider* **(UK)**
suculento › *juicy; succulent*
suporte (trempe ou gancho de ferro) para panelas, tachos etc. › *trivet*

T

tábua de carne › *cutting board*
tábua de mármore › *marble slab*
tábua grossa de madeira para cortar carne, legumes etc. › *chopping block*
tábua para cortar pão › *bread board; cutting board*
tábua para massas › *pastry board*
tabuleiro › *tray*
tabuleiro para assar › *baking tray* **(UK)**; *baking sheet* **(US)**; *cookie sheet* **(US)**; *roasting pan*
tainha › *mullet*
talha; moringa › *a water jug made of porous clay*
talhar (formar coalho) › *(to) curdle*
talharim › *noodles*
talheres › *silverware; flatware*
tâmara › *date*
tamarindo › *tamarind*
tampa com rosca › *screw top*
tampa de garrafa › *cap; bottle cap*
tampa de panela, tigela etc. › *lid; cover; stopper; top*
tampar › *(to) cover*
tangerina › *tangerine*
tartaruga › *turtle*
taça › *stemmed glass*
taça para servir cognac › *snifter*
temperar › *(to) season*
tempero › *seasoning*
tempero mexicano; chile › *chili; chilli; chile*

(presunto) tênder › *gammon* **(UK)***; smoked ham* **(US)**
termômetro › *thermometer*
termômetro para medir o ponto de bala › *candy thermometer*
terrina para sopa › *soup tureen*
tesoura de cozinha › *kitchen shears; scissors*
tetraz › *grouse*
tigela › *bowl*
tigela de madeira para picar ingredientes › *wooden chopping bowl*
tigela refratária › *pudding basin* **(UK)***; oven-proof bowl* **(US)**
tigela para cozinha › *mixing bowl*
timo de vitela › *sweetbreads (pancreas or thymus)*
tirar a casca › *(to) shell*
tirar a palha do milho › *(to) husk; (to) hull; (to) shuck*
tirar a semente; descaroçar › *(to) stone* **(UK)***; (to) core; (to) pit; (to) seed* **(US)**
tirar a tampa › *(to) uncover*
tirar da superfície (nata, escuma etc.) › *(to) skim*
tirar leite de vaca etc.; ordenhar › *(to) milk*
tirar o osso › *(to) bone*
tirar o pó › *(to) dust*
tirar uma lasca › *(to) sliver*
toalha de mesa › *tablecloth*
toalha de papel; papel-toalha › *kitchen paper* **(UK)***; paper towel* **(US)**
tocar › *(to) handle; (to) touch*
tofu; queijo de soja › *soybean curd; tofu*
tomate › *tomato*
tomilho › *thyme*
tonel › *vat*
toranja › *grapefruit*
torcer › *(to) twist; (to) wring*
torneira › *faucet; tap*
torrada › *toast*
torradeira › *toaster*
torrar › *(to) toast*
torresmo › *crackling*

torta › *pie* **(US)**; *tart* (sem massa em cima) **(UK)**; *pie (com massa em cima)* **(UK)**
tortinha › *tart* **(US)**; *tartlet* **(UK)**
toucinho › *pork fat* **(UK)**; *fatback* **(US)**
touro novo › *steer*
trago de bebida alcoólica › *nip; dram*
travessa › *platter; serving dish*
tremoço › *lupine*
trigo › *wheat*
trigo para quibe › *cracked wheat*
(certa variedade de) trigo para quibe › *bulgur (a type of cracked wheat)*
tripas › *chitlins; chitterlings*
trivial › *potluck*
tromba › *snout*
trufa (bombom) › *(chocolate) truffle*
trufa (cogumelo subterrâneo) › *truffle*
truta (peixe) › *trout*
tutano; medula › *marrow*

U

uísque › *whisk(e)y*
umedecer › *(to) moisten; (to) dampen*
untar › *(to) butter; (to) grease*
(carne de) urso › *bear*
usar › *(to) use*
uva › *grape*
uva passa › *raisins*
uva passa branca › *sultanas* **(UK)**; *golden raisins* **(US)**
uva passa corinto › *dried currants*

V

vagão-restaurante › *diner*
vagem › *French bean* **(UK)**; *snap bean; green bean* **(US)**; *string bean*
vagem de leguminosa › *pod*
vasilha › *deep bowl*
vasilhame › *empty bottle (for return)*
veado › *deer*
verduras e legumes; hortaliças › *vegetables*
vegetariano que não come laticínios nem ovos › *vegan*
verde; que não está maduro › *green*
verificar › *(to) check*
(pote de) vidro › *bottle ; jar*
vidros (artigos de vidro) › *glass; glassware*
vieira › *scallops*
vinagre branco › *white wine vinegar*
vinagre de maçã › *cider vinegar*
vinagre de vinho tinto › *red wine vinegar*
vinagrete › *a condiment of oil and vinegar with chopped pieces of tomato, green pepper, onion and hot red pepper*
vinho (tinto, branco, rosê) › *wine (red, white, rosé)*
vinho tinto Bordeaux › *claret* **(UK)**
vir à tona › *(to) float up; (to) surface*
virar › *turn*
vísceras da rês abatida › *offal*
vitela › *veal*
vol-au-vent › *patty shells*
voltar para o lugar › *rebound*
vôngole › *clams*
vôngole ao vapor › *steamer*

W

wok › *wok*

X

xarope de glicose; glicose de milho; Karo › *corn syrup*
xarope de romã › *grenadine*
xarope de seiva de bordo › *maple syrup (sirup)*
xerez › *sack* **(UK)**; *sherry*
xícara › *cup*
xícara de café (o recipiente) › *demitasse cup; demitasse*
xícara de chá › *coffee cup; tea cup*

Z

zimbro › *juniper*

INGLÊS-PORTUGUÊS

A

à la mode › servido com sorvete
abalone › haliote; abalone
(to) absorb › embeber; absorver
Accent; MSG; monosodium glutamate › Ajinomoto
acorn squash › abóbora-japonesa
(to) add › acrescentar; adicionar
ade › suco adoçado, especialmente de limão ou laranja
(to) adjust › ajustar
affair › evento
ale › cerveja inglesa de sabor amargo e cor clara
alfalfa sprouts › brotos de alfafa
allspice › pimenta-da-jamaica
almond › amêndoa
(to) alternate › alternar
aluminum foil › papel-alumínio
ambrosia › qualquer bebida deliciosa
anchovy › aliche
angelica › angélica
anise; aniseed › anis; erva-doce; funcho
aperitif › aperitivo (bebida alcoólica servida antes da refeição)
appetizer › entrada
apple › maçã
apple corer › descaroçador de frutas
(home) appliance › eletrodoméstico
apricot › damasco; abricó
(dried) apricot › damasco seco
apron › avental
(to) arrange › arrumar; pôr em ordem
artichoke › alcachofra
artificial sweetener › adoçante dietético
arugula › rúcula (**US**)
asparagus › aspargo
aspic › geléia de carne
aubergine › berinjela (**UK**)

au gratin prepared (food browned in the oven) › gratinado
avocado › abacate

B

back › costas
back bacon › bacon de tipo magro (**UK**)
bacon drippings; bacon fat › gordura de bacon
(plastic) bag › saco plástico
(tea) bag › saquinho de chá
bagel › determinado pãozinho em forma de anel
bake blind › assar uma massa sem rechéio cobrindo com papel manteiga e usando pesos (**UK**)
(to) bake › assar bolo ou pão
baker › padeiro; confeiteiro; biscoiteiro
bakery › 1. padaria; 2. confeitaria
baking powder › fermento químico em pó; pó Royal
baking sheet (**US**)*; baking tray* (**UK**) › tabuleiro para assar; assadeira sem beirada para biscoitos
baking soda › bicarbonato de sódio
baloney › lingüiça de Bolonha
bamboo shoot › broto de bambu
banana › banana
banquet › festim; banquete
bar › 1. barra (de chocolate e confeitos afins); 2. bar
bar strainer › coador de coquetel
Barbados sugar › variedade de açúcar bruto que é fino e úmido
barbecue; BBQ › churrasco
barbeque pit › churrasqueira
(to) bard › cobrir carne com toucinho
barley › cevada
barrel › barril
basil › manjericão
(sweet) basil › alfavaca

(to) baste › pincelar; regar; untar
(to) baste fat › untar
(to) baste liquid › regar
basting brush › pincel de cozinha
batter › massa crua de bolo
bay leaf › louro
bean curd › tofu; queijo de soja
bean pot › caçarola refratária para feijão
bean sprouts › broto de feijão; moyashi
beans › feijão
(black) beans › feijão-preto
(broad) beans › fava
(coffee) beans › café em grão
(French) beans **(UK)**; *string beans* › vagem
(garbanzo) beans › grão-de-bico
(green) beans; snap beans **(US)**; *string beans* › vagem
(kidney) beans › feijão-comum
(lima) beans › fava
(navy) beans **(US)**; *(haricot) beans* **(UK)** › certa variedade miúda de feijão-branco
(pinto) beans › feijão-carioquinha
(red) beans › feijão-roxo
(white) beans › feijão-branco
bear › (carne de) urso
(to) beat (past beat, past participle beaten) › bater
(to) beat in › juntar batendo
beef › carne de boi; carne de vaca
(aged) beef › carne maturada
beer › cerveja
beet **(US)**; *beetroot* **(UK)** › beterraba
beet greens › folha de beterraba
bell › sino de mesa
Bermuda onion › cebola-roxa
berries › frutos dentre os quais se incluem o morango, o mirtilo, a framboesa e a amora-preta
bib › babadeira
bicarbonate of soda › bicarbonato de sódio
bilberry › espécie de mirtilo **(UK)**

bill › conta de restaurante
bill of fare › cardápio
bin › receptáculo
bin liner › saco de lixo **(UK)**
(to) bind (past/past particple bound) › ligar ingredientes
binge › farra; bebedeira
biscuit › 1. pão de minuto **(US)**; 2. biscoito ou bolacha doce **(UK)**
biscuit cutter › cortador de pão de minuto
bisque › sopa cremosa à base de frutos do mar
bistro › 1. restaurante pequeno ou despretensioso; 2. pequeno bar ou boate
bit › porção bem pequena
bite › 1. bocado; 2. refeição ligeira; boquinha
(to) bite (past bit, past participle bitten) › morder
bitter › amargo
bitter baking chocolate › variedade de chocolate em barra sem açúcar
bittersweet › 1. agridoce; 2. meio amargo
black beans › feijão-preto
black grouper; black jewfish › cherne; cherna; chernote
black pepper › pimenta-do-reino
black pudding › chouriço **(UK)**
black walnut › certa variedade de noz de sabor superior
blackberry › amora-preta
black-eyed peas › feijão-fradinho
blackstrap molasses › melado (o resíduo escuro e forte da etapa final da refinação do açúcar)
(to) blanche › escaldar para tirar a pele
(to) blend flavors › apurar o gosto dos ingredientes
(to) blend in › colocar ingrediente dentro de outro e misturar bem; liquidificar; misturar bem
blender › liquidificador
block ice › gelo em barra; gelo em bloco
blood sausage › chouriço **(US)**
blue fish › anchova
blueberry › espécie de mirtilo **(US)**
(bread) board › tábua para cortar pão

(cutting) board › tábua de cortar (carne, pão etc.)
(pastry) board › tábua para massa
(to) boil › aferventar; cozinhar ovos e vegetais; ferver
boiled sweet › balas **(UK)**
bok choy › certa variedade de acelga
(to) bolt › engolir comida rapidamente
bonbons › bombons
(to) bone › desossar; tirar espinha
(fish) bone › espinha
(meat or chicken) bone › osso
bonito › bonito (peixe)
Boston lettuce › alface-lisa
bottle › 1. garrafa; 2. pote de vidro
bottle cap › tampa de garrafa
bottle opener › abridor de garrafa
(empty) bottle (for return) › casco; vasilhame
bouillon › sopa ou caldo ralo e transparente, normalmente de carne
bouillon cubes › caldo em cubinhos **(US)**
bouquet › 1. buquê; 2. ramalhete
bowl › tigela; vasilha
(deep) bowl › vasilha
(mixing) bowl › tigela para a cozinha
(punch) bowl › poncheira
(salad) bowl › saladeira
(soup) bowl › prato fundo
(sugar) bowl › açucareiro
(wooden chopping) bowl › tigela de madeira para picar ingredientes
brains › miolos
(to) braise › assar na panela
bran › farelo
brand › marca de produto
brandy › conhaque
Brazil nuts › castanha-do-pará
bread › pão
(to) bread › cobrir de farinha de rosca
bread board; cutting board › tábua para cortar pão

bread box › recipiente para guardar pão
bread crumbs, of the fine dry type › farinha de rosca
(fresh) bread crumbs › 1. migalha de pão branco; 2. miolo
bread crust › casca de pão
bread pan; bread tin › fôrma para pão; fôrma para bolo inglês
(day-old) bread › pão dormido; pão amanhecido; pão de véspera
(French) bread › pão francês
(Italian) bread › pão italiano
(loaf of French or Italian) bread › bengala; baguete; filão
(pumpernickel) bread › pão pumpernickel
(rye) bread › 1. pão de centeio; 2. pão preto
(soft center of) bread › miolo
(stale) bread › pão velho; pão duro
(Syrian or pita) bread › pão sírio
(wheat) bread › pão de trigo
(whole wheat) bread › pão integral **(US)**
breadfruit › fruta-pão
(to) break (past broke, past participle broken) › quebrar
breast › peito
brew › bebida fermentada
(to) brew › fazer cerveja
brewer's yeast › levedo de cerveja; levedura de cerveja
brewery › cervejaria
brine › salmoura
(to) bring (past/past participle brought) to a boil › aferventar; esquentar até o ponto de ferver; levantar fervura
brisket › carne do peito (do boi)
broad bean **(UK)**; *fava bean* **(US)** › fava
broccoli › brócolis
(to) broil › grelhar com a fonte de calor acima da comida **(US)**
broiler › 1. qualidade de frango para *broiling* ou para grelhar **(US)**; qualidade de frango para cozinhar muito tempo **(UK)**; 2. forno que grelha com o calor vindo de cima **(US)**
broth › caldo
(to) brown › corar; dourar

brown bread › pão integral (UK)
brown rice › arroz integral
brown stock › caldo de carne (UK)
brown sugar › açúcar mascavo
(to) bruise › esmagar levemente
(to) brush › pincelar; untar com pincel
(pastry) brush; basting brush › pincel
(vegetable) brush › escova para limpar hortaliças
Brussels sprouts › couve-de-bruxelas; repolhinho-de-bruxelas
(ice) bucket › balde de gelo; porta-gelo
buffalo › búfalo
bulgur (a type of cracked wheat) › certa variedade de trigo para quibe
bun › pãozinho redondo, podendo ser salgado ou doce
bunch › maço
(to) burn › queimar
burner › boca de fogão; queimador
(to) burst (past/past participle burst) › estourar; romper a pele
busboy › ajudante de garçom
butter › 1. manteiga; 2. pasta de fruta
(to) butter › 1. passar manteiga; 2. untar
butter curler › cortador para fazer bolinhas de manteiga; boleador de manteiga
butter dish › manteigueira
buttermilk › leite desnatado ou semidesnatado talhado com a bactéria do ácido láctico
button mushroom (white mushroom) › cogumelo

C

cabbage › repolho
(Chinese) cabbage › acelga
(red) cabbage › repolho-roxo

cabinet › armário
café › 1. café (o estabelecimento); 2. restaurante pequeno
cafeteria › bandejão (refeitório)
café-au-lait › café com leite
Cajun ADJ › culinária do sul da Louisiana, Mississippi e Alabama
cake › bolo
cake carrier › porta-bolo
cake pan; cake tin › fôrma para bolo
camomile; chamomile › camomila
Canadian bacon › bacon de tipo bem magro **(US)**
can opener › abridor de lata
(garbage) can; trash can › lata de lixo
candied fruit › fruta cristalizada
candy › 1. balas; 2. bombons; 3. docinhos; doces; 4. chocolate em barra **(US)**
candy bar › 1. chocolate em barra; 2. doce em barra
candy floss › algodão doce **(UK)**
candy thermometer › termômetro para medir o ponto de bala
canister › porta-mantimento
canned › enlatada **(US)**
canola oil › oleo de canola **(US)**
cantaloupe › 1. melão semelhante ao melão-cantalupo; 2. melão semelhante ao melão-do-príncipe **(US)**
canteen › 1. cantil; 2. cantina (refeitório)
cantina › pequeno bar
cap › tampa de garrafa
capers › alcaparras
capon › capão
capsicums › pimentão **(UK)**
caraway seeds › kummel; alcaravia
carbonated water › água com gás
carcass › carcaça
carob › alfarrobeira; alfarroba (substituto para o chocolate)
carrot › cenoura
cartilage › cartilagem

carving set › garfo e faca grandes para servir carne assada
case › caixa de cerveja
cashew-apple (fruit of the cashew tree) › caju
cashew nut › castanha de caju
cassava › mandioca
cassava flour; manioc flour › farinha de mandioca
casserole; casserole dish › caçarola refratária; alguidar; panela refratária funda com tampa
caster sugar › açúcar fino mas não tanto quanto o de confeiteiro **(UK)**
(to) cater › fornecer refeições
caterer › fornecedor de refeições para clube, hotel, casa etc.; banqueteiro
catfish › peixe-gato
catsup; ketchup › catchup **(US)**
cauliflower › couve-flor
cayenne pepper › pimenta-de-caiena; pimenta-malagueta
celery salt › sal com semente de aipo
celery › aipo; salsão
celery rib **(US)**; *celery stick* **(UK)** › talo de salsão
cellar › porão
chafing dish › réchaud
chaser › bebida alcoólica tomada depois de outra (p. ex., cerveja depois de uísque)
chayote › chuchu
check › conta de restaurante **(US)**
(to) check › conferir; verificar
(to) check the seasonings › provar o tempero
cheese › queijo
cheese cloth › pano de gaze para cozinha
cheese grater › ralador de queijo
cheese slicer › cortador de queijo
chef › cozinheiro(a)-chefe
(bing) cherries **(US)**; *(black) cherries* **(UK)** › certa variedade de cereja
cherry › cereja
cherry liqueur › licor de cereja
chestnut › castanha

(to) chew (up) › mastigar
chewing gum › chiclete
chick peas; garbanzo beans › grão-de-bico
chicken › frango; galinha
(spring) chicken › galeto
chicory › chicória
(to) chiffonade › cortar em tirinhas bem fininhas de folhas
chile sauce (chili; chilli) › molho apimentado de tipo mexicano; chile
chili (chilli; chile) › 1. tempero mexicano; pimenta mexicana; chile; 2. o prato chile con carne
(to) chill › 1. resfriar; 2. pôr na geladeira
china; chinaware › louça
Chinese cabbage › certa variedade de acelga
Chinese parsley › coentro
chipolata › certa variedade de lingüiça de carne de porco (**UK**)
chips › batata frita (**UK**); batata frita de saquinho (**US**)
chitlins; chitterlings › tripas
chives › cebolinha-francesa
chlorine › água sanitária
chocolate bar › chocolate em barra
chocolate candy › bombons
chocolate milk › leite achocolatado
chocolate sauce; chocolate syrup › calda de chocolate
chocolate sprinkles › chocolate granulado (**US**)
(to) choose (past chose, past participle chosen) › escolher; selecionar
chop › bisteca (**US**)
(to) chop › picar em pedaços
(meat) chopper › machadinha
chopping block › tábua grossa de madeira para cortar carne, legumes etc.
chow › rango (coloquial)
chowder › sopa grossa
cider › certa variedade de suco de maçã com filtração variável (**US**); suco de maçã fermentada (**UK**)
(hard) cider › suco de maçã fermentado (**US**)

cider vinegar › vinagre de maçã
cilantro; coriander › coentro
cinnamon › canela; canela-da-china
cinnamon stick › canela em casca (em rama ou em pau)
citric fruit › fruta cítrica
citron › cidra
citrus juicer › espremedor de frutas
clams › vôngole; berbigão
claret › vinho tinto Bordeaux **(UK)**
(to) clarify › clarificar
claws › garras
cling film › filme plástico **(UK)**
(to) clean › limpar
cleaver › cutelo
(meat) cleaver › machadinha
closet › armário
cloth › pano
(cheese) cloth › pano de gaze para cozinha
(pastry) cloth › pano usado para ajudar abrir massa
clove › cravo-da-índia
clove of garlic › dente de alho
coarse › grosso; áspero
coarse salt › sal grosso
coarse sugar; sanding sugar › açúcar cristalizado
coaster › descanso para copo ou garrafa; porta-copo
(to) coat › empanar
cob › sabugo; espiga de milho
cocktail shaker › coqueteleira
cocktail stick › palito **(UK)**
cocoa; hot chocolate › chocolate quente (bebida)
cocoa powder › cacau em pó
coconut › coco
cod › bacalhau
(to) coddle › cozer a fogo lento
coffee beans › café em grão
coffee cup; demitasse › xícara de cafezinho
coffee cup › xícara de chá
coffee filter › filtro de café

coffee in a demitasse › cafezinho
coffee with just a little milk (in a large glass) › pingado
coffee with milk (in a glass or a cup larger than a demitasse) › média
coffee with milk (in a small glass) › café com leite
coffeepot › bule de café
cognac › conhaque
colander › escorredor de macarrão
cold cuts › frios
collards; collard greens › couve
(to) combine › dar uma misturada; juntar
comfort food › pratos que lembram coisas agradáveis, como infância, família, bons momentos etc.
compressed yeast (fresh) › fermento biológico fresco em tablete
confectioners' sugar (also confectioner's) › açúcar de confeiteiro **(US)**
(to) congeal › solidificar; engrossar; endurecer
connoisseur › conhecedor; crítico competente
consommé › caldo de carne
(to) continue › continuar; manter
convenience food › comida que não necessita de muito preparo em casa (P.EX., enlatados e congelados)
cook › cozinheiro(a)
(to) cook › cozinhar
cooker › fogão **(UK)**
cookie **(US)**; *biscuit* **(UK)** *(flat)* › bolacha doce
cookie **(US)**; *biscuit* **(UK)** *(thick and aerated)* › biscoito doce
cookie cutter › cortador de biscoito
cookie jar › pote para biscoitos
cookie sheet › tabuleiro para assar; assadeira sem borda para biscoitos
(to) cool › esfriar
cordial; liqueur › licor
(to) core › descaroçar; tirar a semente
coriander; cilantro › coentro
cork › rolha
corkscrew › saca-rolha

corn › grão (**UK**); milho verde
corn flour › fubá fino (**US**); amido de milho; maisena (**UK**)
corn oil › óleo de milho
corn on the cob › espiga de milho
corn syrup (**US**)*; glucose syrup* (**UK**) › glicose de milho; Karo
cornflakes › flocos de milho
cornmeal › fubá (**US**)
(finely ground) cornmeal › fubá fino (**UK**)
cornstarch › amido de milho; maisena (**US**)
(to) correct › corrigir
cos lettuce › alface-romana
cotton candy › algodão doce (**US**)
courgette › abobrinha pequena (**UK**)
course › prato (iguarias de uma refeição)
cover › tampa
(to) cover › tampar; cobrir
(to) cover well › abafar
cowpea › feijão-fradinho
crab › caranguejo; siri
crab leg › pata de caranguejo
cracked ice › gelo picado
cracked wheat › trigo para quibe
cracker (thick and aerated) › biscoito salgado
cracker (thin) › bolacha salgada
crackling › pele de porco frita; torresmo
cranberry › frutinha americana vermelha, redonda e azeda
crate › engradado
crayfish; crawfish › lagostim
cream › creme de leite (no Brasil, mais ou menos 25% de gordura; nos EUA, 18-20%)
cream; any creamy substance › creme
cream of tartar › cremor tártaro
cream puff › carolina
cream soup › sopa-creme
(double) cream › creme de leite com teor alto de gordura (**UK**)
(heavy) cream › creme de leite com teor alto de gordura (**US**)
(light) cream › creme de leite com teor baixo de gordura (**US**)

(single) cream › creme de leite com teor baixo de gordura **(UK)**
(to) cream › misturar até ficar cremoso
(whipped) cream › chantilly; creme chantilly
(whipping) cream › creme para chantilly
creamy › cremoso
cremini › cogumelo portobello de tamanho pequeno
Creole ADJ › culinária de Nova Orleans
crepe › panqueca
(to) crimp › plissar a borda de uma torta
crisp; crispy › crocante; quebradiço
crisps › batata frita de saquinho **(UK)**
crock › certa variedade de pote cerâmico
crop › colheita; safra
crumble › certa variedade de sobremesa com fruta
(to) crumble › 1. esmigalhar (pão); 2. esfarelar (ricota)
(to) crush › esmagar; socar
crust › massa assada de pizza ou torta
(bread) crust › casca de pão
crystallized fruit › fruta cristalizada **(UK)**
(to) cube › cortar em cubos
cube sugar › açúcar em cubos
(chicken or beef) cube › caldo de carne ou frango em cubinhos **(UK)**
(stock) cube › caldo em cubinho **(UK)**
(ice) cubes › gelo em cubos
cucumber; cuke › pepino
cuisine › arte ou modo de preparar a comida; culinária
cumin › cominho
cup › xícara
(coffee) cup › xícara de chá
(demitasse) cup › xícara de café
(measuring) cup › copo medidor
(tea) cup › xícara de chá
cupboard › armário de cozinha ou copa
cupcakes › bolinho doce **(US)**
(to) curdle › coalhar; talhar; azedar
curdled milk › leite talhado
curds › coalho

(to) cure › curar
curly lettuce › alface-crespa
(dried) currants › uva passa corinto
(fresh) currants › variedade de groselha (o fruto)
custard › pudim **(US)**; creme **(UK)**; creme para doces
(egg) custard › pudim **(UK)**
(to) cut (past/past participle cut) › cortar
(to) cut in; (to) cut into › misturar um ingrediente (manteiga) com outro (farinha de trigo) usando duas facas (cruzando-as)
(to) cut julienne › cortar em pedaços finos e compridos (juliana)
cutlery › jogo de facas
cutlet › bisteca **(UK)**
(biscuit) cutter › cortador de pão de minuto
(cookie) cutter › cortador de biscoito
cutting board › tábua de carne

D

dairy products › laticínios
dandelion greens › folhas de dente-de-leão
dash › pequenina porção
date › tâmara
day-old bread › pão dormido; pão amanhecido; pão de véspera
decanter › garrafa para decantar licores ou vinhos
(to) decorate › enfeitar
decorating bag › saco de confeiteiro
deep baking dish › pirex fundo **(US)**
deep bowl › vasilha
(to) deep fat fry › fritar em bastante óleo
deep fat fryer › panela funda para fritura (podendo ser elétrica); fritadeira
deep freezer › freezer (aparelho à parte)

deer › cervo; veado
(to) defrost › descongelar
(to) degrease › retirar gordura do caldo, sopa
(to) dehydrate › desidratar
delicatessen; deli › casa de mercearias finas e comidas preparadas; delicatessen
demerara sugar › açúcar demerara (variedade de açúcar bruto grosso e seco)
demitasse › xícara de café
demitasse of coffee › cafezinho
desiccated coconut › coco ralado seco **(UK)**
dessert › sobremesa
(to) devein › eviscerar camarão
(to) develop bubbles › formar bolhas
deviled ADJ › preparo de comida muito apimentado
(to) devour › devorar, comer avidamente
(to) dice › cortar em cubinhos
diet › dieta; regime
(to) diet › fazer regime
(to) digest › digerir
digestive biscuits › certa variedade de bolacha integral **(UK)**
dill; dillweed › dill; endro
dill seed › sementes de endro
(to) dilute › diluir
(to) dine › comer o jantar
(to) dine out › comer em restaurante; comer fora
diner › 1. pessoa que janta; 2. vagão-restaurante; 3. restaurante em forma de vagão-restaurante
dinner plate › prato raso
(to) dip › mergulhar rapidamente
(to) discard; (to) dispose › descartar; jogar fora
dish › prato
dish cloth; dish towel › pano de prato **(US)**
dish drainer › escorredor de pratos
dish pan › bacia para lavar louça
dish washer › 1. copeiro; 2. máquina de lavar louça; lava-louça
(butter) dish › manteigueira

(chafing) dish › réchaud
(Pyrex) dish › pirex
(serving) dish › travessa
(soup) dish › prato fundo
(to be) done › estar pronto
(to) dot › pôr pedacinhos de (manteiga) sobre alguma coisa
double boiler › panela especial para banho-maria e para cozimento no vapor
double-decker › 1. duas bolas de sorvete; 2. sanduíche duplo
dough › massa crua de pão, pizza ou torta
doughnut **(US)**; *ring doughnut* **(UK)** › massa doce frita, em forma de rosca
doughnut hole › a bolinha tirada do centro do doughnut
draft beer; draught beer › chope
drain › ralo
(to use the liquid to) drain › coar
(to use the solids to) drain › escorrer
dram › trago de bebida alcoólica
(to) draw (past drew, past participle drawn) › estripar
(to) dredge › cobrir com farinha; enfarinhar; passar na farinha; empanar
dressing › 1. molho para salada; 2. recheio (especialmente de aves)
dried apricot › damasco seco
dried fruit › fruta seca
dried peas › ervilha partida ou seca
(to) drink › beber
drinking glass › copo
drinking straw › canudo
drinks (beverages) › bebidas
drippings › pingos (sumo, gordura) da carne ao assar
(to) drizzle › regar
(to) drool › babar
(to) drop › colocar; jogar; pôr
(to) drop (into liquid) › deitar (em líquido); mergulhar
drumstick › coxa de ave

drunk › bêbado
dry measure › medida de capacidade para secos
dry yeast › fermento biológico seco; levedo; levedura
duck › pato
(mallard) duck › marreco
duckling › pato novo
dulse › certa variedade de alga marinha
(to) dust › 1. polvilhar; 2. enfarinhar; 3. tirar pó
dustpan › pá de lixo
Dutch oven › panela pesada com tampa abaulada e bem fechada

E

earthenware › cerâmica
(to) eat (past ate, past participle eaten) › comer
(to) eat out › comer fora de casa, em restaurante
(to) eat outside › fazer piquenique
éclair › bomba oblonga recheada de creme semelhante a pudim
edible › comestível
eel › enguia
egg › ovo
egg poacher › utensílio para fazer ovos poché
egg slicer › cortador de ovos
egg whisk › batedor manual de ovos, de arame, em forma de pêra
egg white › clara de ovo
egg yolk › gema de ovo
(manual or rotary) egg-beater › batedor rotativo; batedor de ovos com manivela
eggplant › berinjela **(US)**
eggshell › casca de ovo
electric mixer › batedeira elétrica
Emmentaler cheese › queijo tipo Ementhal **(UK)**

empty bottle (for return) › casco; vasilhame
endive (also Belgian or French endive; Belgian chicory) › endívia
entrée (entree) › 1. prato inicial **(UK)**; 2. prato principal **(US)**
epicure › gastrônomo
ersatz ADJ › de imitação
escargot › escargot; caracol
essence › essência (de baunilha, etc) **(UK)**
evaporated milk › leite concentrado sem açúcar; leite evaporado; Ideal
(to) eviscerate › eviscerar
(to) expand › aumentar; crescer
extract › 1. essência (de baunilha etc.); 2. extrato (de tomate)
extractor; juicer › centrífuga

F

fairy cake › bolinho doce **(UK)**
fancy cake with icing › torta
fare › comida
farina; Cream of Wheat › mingau de trigo **(US)**
fast food › comida de preparo rápido
fasting › jejum
fat › gordura
fatback › toucinho **(US)**
fatty; fattening › gorduroso
faucet; tap › torneira
fava bean › fava **(US)**
feast › refeição esplêndida com muita coisa boa para comer e beber
feed › ração
(to) feed (past/past participle fed) › alimentar; dar de comer
feet › pés; patas
fennel; bulb fennel; sweet fennel › erva-doce; funcho

fiber; fibre › fibra
filbert › avelã
(to) fill › encher; rechear
fillet › (corte em) filé
(coffee) filter › filtro para café
(water) filter › filtro de água
fin › barbatana
fine bread crumbs (dry type) › farinha de rosca
finger foods › salgadinhos ou docinhos; comida de tamanho pequeno que se come com a mão
fish › peixe
fish and chips › peixe frito com batata frita (prato inglês)
fish bone › espinha
fish slice › espátula larga (UK)
fizz › efervescência
(to) fizz › efervescer
(to) flake › desmanchar-se por já estar pronto (peixe)
(to) flambé; (to) flame › flambar
flan › pudim
(to) flatten › achatar
flatware › talheres
flesh › 1. carne do homem e dos animais; 2. carnosidade (polpa) das frutas
(to) float › boiar; flutuar
(to) float up › vir à tona
flounder › linguado
flour › farinha
(all-purpose) flour (US)*; plain flour* (UK) › farinha de trigo
(bread) flour (US)*; strong flour* (UK) › farinha de trigo (do tipo duro) para pão
(corn) flour › amido de milho; maisena (UK); fubá fino (US)
(maize) flour › fubá
(self raising) flour › farinha de trigo com fermento
(to) flour › cobrir com farinha; enfarinhar; passar na farinha
(whole wheat) flour; graham flour › farinha de trigo integral (US)
(to) flute › emendar a beirada da torta com a ponta dos dedos

(to) fold › dobrar
(to) fold in › acrescentar misturando cuidadosamente; juntar misturando levemente; incorporar
food › comida
food coloring › anilina; corante
food grinder › moedor de carne
food mill › peneira para fazer purê, do tipo moinho manual
food processor › processador de alimentos
food to go › (comida) para viagem
forcemeat › carne bem picada, misturada com tempeiros e usada como recheio de frango
fork › garfo
(to) form › fazer; formar
fowl › ave comestível
frankfurter; frank › salsicha de cachorro-quente; cachorro-quente
(to) freeze (past froze, past participle frozen) › congelar
(to) freeze dry › congelar a vácuo
freezer (separate door of refrigerator) › congelador (parte da geladeira); freezer de geladeira
(deep) freezer (separate unit) › freezer (aparelho à parte)
French bean › vagem **(UK)**
French bread › filão de pão francês
French fries › batata frita **(US)**
French roll › pãozinho francês
fresh › fresco
fridge; refrigerator › geladeira
fried › frito
fries; French fries › batata frita
fritter › deteminada variedade de massa frita
frog › rã
(to) frost › cobrir (bolo) com glacê, suspiro etc.
froth › espuma
frozen food › comida congelada
fruit › fruta
(to) fry › 1. passar (fritar) bife; 2. refogar cebola para molho
(to) fry in deep fat › fritar em bastante óleo
fryer › frango para fritar

frying pan › frigideira
fudge › certa variedade de doce de chocolate
funnel › funil
fungus › 1. funghi; 2. fungo

G

galley › 1. cozinha de navio ou aeronave; 2. cozinha estreita e comprida
game › (carne de) caça
gammon › presunto; tender **(UK)**
garbage › lixo
garbage can › lata de lixo
garbanzo beans; chick peas › grão-de-bico
garlic › alho
garlic clove › dente de alho
garlic press › espremedor de alho
(to) garnish › enfeitar; guarnecer
gas valve › registro de gás
(to) gel; (to) jell › gelatinizar
(powdered) gelatin › gelatina em pó
(sheet) gelatin › gelatina em folha
ghee › manteiga indiana de leite de búfala, clarificada; manteiga ghee
gilded catfish › dourado (o peixe)
gills › brânquia; guelra
ginger › gengibre
ginger ale › refrigerante de gengibre
ginger beer › refrigerante de gengibre com gosto mais forte que o do ginger ale
gingerroot › raiz de gengibre **(US)**
gizzard › 1. moela de aves; 2. miúdos
glacé fruit › fruta cristalizada **(UK)**
glass; drinking glass › copo
glass bottle › 1. garrafa; 2. pote de vidro

glass jar › pote de vidro
(wine) glass › cálice
glassware › vidros (artigos de vidro)
glucose syrup (UK); *corn syrup* (US) › glicose de milho; Karo
glutton S › comilão; glutão
gluttony › comilança
(to) gnaw › roer
goat milk › leite de cabra
(to) gobble › devorar, engolir com pressa
golden syrup › xarope de glicose (feito de cana) (UK)
goober › amendoim
goose › ganso
gooseberry › groselha
(to) gorge › 1. devorar; 2. engolir; 3. fartar-se
gourmand S › comilão
gourmet S › conhecedor de comidas e bebidas finas
(to say) grace › dar graças pela comida
graham crackers › certa variedade de bolacha integral (US)
graham flour; whole wheat flour › farinha integral
grain › 1. grão; 2. fibra de carne
granulated sugar › açúcar refinado
grape › uva
grapefruit › toranja; grapefruit; pomelo
(to) grate › ralar
grater › ralador
gravy › molho de carne
gravy beef › carne para fazer ensopado (UK)
gravy boat › molheira
grease › gordura
(to) grease › untar (fôrma)
greaseproof paper › papel semelhante ao papel-manteiga (UK)
greedy ADJ › glutão, comilão
green › verde, que não está maduro
green onions; scallions › cebolinha (US)
green peas › ervilha
green pepper › pimentão (US)
green shrimp › camarão cru
greens › folhas dentre as quais se incluem a alface, a rúcula,

a folha de beterraba, a chicória, a couve e o agrião
grenadine › xarope de romã
griddle › chapa
grill › grelha (US); forno que grelha com o calor vindo de cima (UK)
(to) grill › grelhar com a fonte de calor acima da comida (UK); grelhar (com a fonte de calor abaixo da comida)(US)
(to) grind (past/past participle ground) › moer
grinder › moedor
gristle › cartilagem
grits › cereal (aveia, trigo, milho etc.) meio moído; canjica
grocer › merceeiro
groceries › secos e molhados
grocery store › mercearia
ground beef; ground meat › carne moída (US)
ground coffee › café em pó; café moído
ground-nut; peanut › amendoim
grouper › garoupa
grouse › 1. qualquer ave galinácea silvestre; 2. tetraz
guava › goiaba
(to) gulp › 1. engolir; 2. devorar
gum › chiclete
guts › intestino (coloquial)
(to) gut › destripar
(to) gut fish (UK)*; (to) clean fish* › limpar peixe
(to) guzzle › beber avidamente

H

half › metade
(to) half › dividir ao meio
half and half › creme de leite com bem pouca gordura (US)
ham (UK)*; pressed ham* (US) › presunto (industrializado)
(smoked) ham › presunto; tênder (US)
ham hock › joelho do porco

hamburg; hamburger › 1. carne moída (US); 2. hambúrguer
(to) handle › apalpar; tocar; manusear
hard-boiled eggs › ovos cozidos duros
hard candy › balas (US)
hard liquor › bebida destilada
hare › lebre
harvest › colheita
(to) harvest › fazer a colheita
hash › certa variedade de picadinho
haute cuisine › cozinha fina e elaborada; alta culinária
hazelnut › avelã
head lettuce › alface-americana
headwaiter › garçom-chefe
health food › comida nutritiva e desprovida de substâncias artificiais
heaping spoonful › medida de colher cheia
heart › coração
heart of palm › palmito
(to) heat › aquecer; esquentar
helping › porção
hen › galinha
herb › erva
herbal tea › chá de ervas
herring › arenque
high chair › cadeirão
hijiki › certa variedade de alga marinha
hog › porco capado
(doughnut) hole › a bolinha tirada do centro do doughnut
home appliance › eletrodoméstico
home economics (ABREV. *home ec)* › economia doméstica
homogenized milk › leite homogeneizado
honey › mel
honeycomb › favo de mel
honeydew melon › melão-doce; melão
hors d'oeuvre › entradas
horseradish › raiz-forte
hot › 1.quente; pelando; 2. apimentado
hot dog › salsicha de cachorro-quente; cachorro-quente

hot pepper; red pepper › pimenta ardida
hot plate › chapa para aquecer alimentos; chapa elétrica
hot sauce › molho apimentado
(to) hull; (to) husk › tirar a palha do milho
hundreds and thousands › confeito colorido (**UK**)
hungry › faminto; com fome

I

ice › gelo
(to) ice › 1. cobrir de glacê ou cobertura; 2. gelar (champanhe)
ice box; refrigerator › geladeira
ice bucket › porta-gelo; balde de gelo
(Styrofoam) ice chest › geladeira de isopor
ice cream › sorvete feito com creme de leite
ice cubes › gelo em cubos
ice milk › sorvete feito com leite
ice tray › fôrma de gelo
(block) ice › gelo em bloco
(cracked) ice › gelo picado
(shaved) ice › gelo raspado
iceberg lettuce; head lettuce › alface-americana
icing › 1. glacê; 2. cobertura para bolo
icing sugar › açúcar de confeiteiro (**UK**)
Imperial weights and measures › pesos e medidas do antigo sistema britânico (libras, polegadas, *pints* etc.)
Indian tea; black tea › chá preto
inedible › não-comestível
innards › miúdos
insert › enfiar
instant coffee › café solúvel
iodized salt › sal iodado
Italian bread › pão italiano

J

jacket potato › batata assada (UK)
jackfruit › jaca
jam › geléia (com pedaços de fruta) (US)
(glass) jar › pote de vidro
(to) jell; (to) gel › gelatinizar
jello › gelatina (US)
jelly › gelatina (UK); geléia (transparente)
jelly roll pan › fôrma para assar rocambole (US)
jerky › charque; carne-seca
jicama › um grande raiz tuberoso
jigger › dosador para bebidas
jimmies; sprinkles › chocolate granulado (US)
joint › corte grande de carne com osso para assar (UK)
jug › jarra
juice › suco
juicer › centrífuga
(citrus) juicer › espremedor de frutas
juicy; succulent › suculento
(to cut) julienne › cortar em pequenas fatias ou palitos (juliana)
juniper › zimbro
junk food › comida de baixo valor nutritivo e alto teor de gordura e/ou açúcar
junket › 1. certa variedade de coalhada adoçada; 2. festa do tipo piquenique; excursão de recreio

K

kale › variedade de couve
(to) keep (past/past participle kept) › manter
(to) keep hot › manter quente; manter aquecido
(to) keep warm by covering well › abafar

keg › barrica (em geral de cerveja)
kernel › grão ou semente semelhante ao trigo ou ao milho
ketchup; catsup › catchup **(US)**
kettle (for boiling water); tea kettle › chaleira
kettle (large stew pot); soup kettle › caldeirão
key lime › certa variedade de lime menor e mais ácido
kidney › rim
kidney beans › feijão-comum
kitchen paper › toalha de papel; papel-toalha **(UK)**
kitchen range › fogão
kitchen shears › tesoura de cozinha
(to) knead › amassar (massa); sovar
(to) knead or mix until does not stick to the surface › fazer ligar; dar liga
knife › faca
(carving) knife › faca grande para servir carne assada
(paring) knife › faca de descascar fruta
(serrated) knife › faca dentada; faca para pão; faca serrada
(spreader) knife › espátula
(utility) knife › faca de cozinha de tamanho médio
knife sharpener › afiador de faca
knob of butter › aproximadamente ¾ de uma colher de sopa de manteiga **(UK)**
(to) knock back dough › bater levemente na massa para ela murchar **(UK)**
knuckle-bone › osso da canela dos animais
kohlrabi › couve-rábano

L

ladle › concha (de feijão)
lady's fingers › certa variedade de biscoito champanhe fofo como bolo **(US)**
lager › certa variedade de cerveja clara
lamb › cordeiro; cordeirinho

(pork) lard › banha de porco
(vegetable) lard › banha vegetal; gordura vegetal
larder › despensa
(to) layer › fazer camadas; pôr em camadas
layer cake tin with removable bottom › fôrma de fundo removível
layer cake with icing › torta
layer pan › fôrma de bolo
lean bacon › bacon do tipo bem magro (**UK**)
(to) leaven › fermentar; levedar
leek › alho-poró; alho-porro
leftovers › sobras; restos
lemon › variedade americana de limão de cor amarela; limão-siciliano
lemon balm › melissa
lemon grass › capim-limão; erva-cidreira
lemon rind; lemon zest › casca de limão
lemon squeezer › espremedor de limão
lentil › lentilha
(to) let (past/past participle let) › deixar
(to) let rest › deixar descansar
(to) let set › deixar endurecer
(to) let soak › deixar de molho
(to) let stand › deixar quieto
(Boston) lettuce › alface-lisa
(curly) lettuce › alface-crespa
(head) lettuce; iceberg lettuce › alface-americana
(red) lettuce › alface-roxa
(romaine) lettuce; cos lettuce › alface-romana
level spoonful › medida de colher rasa
lid › tampa
lime › variedade de limão americano de cor verde, mais ácido que o lemon
(to) line › forrar (com papel)
linguine › massa italiana, comprida e estreita como espaguete, mas achatada; linguine
liqueur › licor
liquid measure › medida de capacidade para líquidos

liquor › qualquer bebida destilada
lite; light ADJ › de baixa caloria (para fins de marketing, tornou-se popular escrever lite)
liver › fígado
liver sausage; liverwurst › salsicha de fígado
loaf of French or Italian bread › bengala; baguete; filão
loaf sugar; raw brown in cakes › rapadura
(sandwich) loaf › pão de fôrma; pão americano
lobster › lagosta
lobster tails › caudas de lagosta
lollipop › pirolito
long drink › quantidade grande de bebida alcoólica (P.EX., cerveja) em copo alto
lowfat milk › leite semidesnatado
lox › salmão defumado
lumps › pelotas
lunch › almoço
luncheon › termo formal para "almoço"
lupine › tremoço
lychee › lichia

M

macaroni › tubo pequeno e curvado de massa italiana
macaroon › biscoito de amêndoas
(to) macerate › macerar, amolecer
mackerel › cavala
maid › empregada doméstica
main dish › prato principal
maître d'(hôtel) › garçom-chefe
maize › milho **(UK)**
mallard duck › marreco
mallet › batedor de carne; martelo de carne
mangetout › ervilha-torta; ervilha chata **(UK)**
mango › manga

manioc; cassava › mandioca
manioc flour; cassava flour › farinha de mandioca
maple sugar › açúcar de seiva de bordo
maple syrup › xarope de seiva de bordo
marble slab › tábua de mármore
marinate › marinar; macerar; embeber
marjoram › manjerona
marmalade › geléia amarga de laranja ou limão
marmite › extrato de levedura **(UK)**
marrow › certa variedade de abobrinha **(UK)**; tutano; medula
masa harina › certa variedade mexicana de farinha de milho desidratada
(to) mash › 1. espremer (batata); 2. fazer purê; 3. amassar com garfo
matches › fósforos
maté › chimarrão
matzoh; matzo › certa variedade de pão não-fermentado, chato e quebradiço
mayonnaise › maionese
meal › 1. refeição; 2. grão moído
measuring cup › copo medidor
measuring spoon › colher de medida
meat › carne
meat chopper; meat cleaver › machadinha
(slightly salted and sun-dried) meat › carne-de-sol
medium › ao ponto
medium rare › entre ao ponto e malpassado
(to) mellow › abrandar
melon baller › cortador para fazer bolinhas de fruta; boleador de frutas
(honeydew) melon › melão; melão-doce
melons › frutos dentre os quais se incluem a melancia, o melão e o melão-cantalupo
(to) melt › derreter
mess › 1. cantina militar; refeitório para soldados, marujos e outros; 2. bagunça
microwave oven › forno de microondas

mild › manso; brando; suave
milk › leite
(to) milk › tirar leite de vaca etc.; ordenhar
(chocolate) milk › leite achocolatado
(curdled) milk › leite talhado
(goat) milk › leite de cabra
(homogenized) milk › leite homogeneizado
(pasteurized) milk › leite pasteurizado
(spoiled) milk › leite estragado
mill › moinho
mince › carne moída **(UK)**
mincemeat › rechéio para mince pie feito de frutas secas, cascas de frutas, conhaque mas raramente com carne **(UK)**
(to) mince › cortar em pedacos bem miúdos; picar
mineral water › água mineral, em especial uma que tenha valor medicinal
mint; spearmint › hortelã
miso › missô
(to) mix › mexer; misturar
(to) mix in › acrescentar e misturar; juntar
(to) mix together › juntar; misturar
mixer › batedeira
(to) moisten › umedecer
molasses › melado; melado de cana **(US)**
(blackstrap) molasses › melado (nesse caso específico, o resíduo escuro e forte da etapa final da refinação do açúcar)
mo(u)ld › 1. fôrma; 2. mofo; fungo
(small) mo(u)ld › forminha
monosodium glutamate; MSG; Accent › glutamato monossódico; Ajinomoto
moose › alce
morsel › bocado; pedacinho
mortar › pilãozinho
MSG; monosodium glutamate; Accent › glutamato monossódico; Ajinomoto
muffin › bolinho salgado ou doce em forma de empadinha

muffin tin; muffin pan › forminha de empada
mug › caneca
mulberry › amora
mullet › tainha
(to) mull › preparar uma bebida quente feito com vinho ou cerveja, açúcar e condimentos
(to) munch › comer
Mung bean sprouts › broto de feijão; moyashi
muscle › músculo
mush › mingau
mushroom › champignon; cogumelo; funghi
muslin › pano de gaze para cozinha (UK)
mussels › mariscos; mexilhão
mustard; prepared mustard › mostarda
mustard greens › folhas de mostarda
mutton › carne de carneiro

N

napkin › guardanapo
nasturtium › capuchinhos
navy beans › certa variedade miúda de feijão-branco
neck › pescoço
nectar › qualquer bebida deliciosa
new potato (tiny) › batata-bolinha
(to) nibble › beliscar
nightcap › bebida alcoólica tomada antes de dormir
nip › trago de bebida alcoólica
nonfat milk; skim milk › leite desnatado
noodles › talharim
nori › alga marinha yakinori
nosh › lanche
(to) nosh › comer um lanche; beliscar
nougat › nugá
nouvelle cuisine › maneira de cozinhar, introduzida há

algumas décadas, que tem pouca gordura, apresentação elaborada e porções geralmente pequenas

(to) nurse › 1. comer ou beber muito devagar; 2. dar de mamar

(to) nurture › nutrir; alimentar

(Brazil) nut › castanha-do-pará

(cashew) nut › castanha de caju

(pecan) nut › noz-pecã

(a type of pine) nut › pinhão

nutcracker › abridor de nozes; quebra-nozes

nutmeg › noz-moscada

nuts › frutos oleoginosos dentre os quais se incluem a amêndoa, a avelã, a castanha de caju, a castanha-do-pará, a noz e a noz- pecã

nutshell › casca de noz, amêndoa etc.

O

oat › aveia

oat bran › farelo de aveia

oatmeal › mingau **(US)**

octopus › polvo

offal › partes não-aproveitadas (vísceras) da rês abatida

off-license › loja de bedidas alcoólicas **(UK)**

okra › quiabo

olive › azeitona

olive oil › azeite de oliva

olive pitter › descaroçador de azeitona

onion › cebola

(Bermuda) onion; purple onion › cebola-roxa

(green) onion › cebolinha

(pearl) onion; baby onion › cebola pequena para conserva

(bottle) opener › abridor de garrafa

(can) opener › abridor de lata

orange › laranja

organic food › comida orgânica
oven › forno
(Dutch) oven › panela pesada com tampa abaulada e bem fechada
(microwave) oven › microondas
(toaster) oven › forninho elétrico; miniforno
oven-proof bowl › tigela refratária (US)
ovenproof casserole dish › fôrma refratária
(to) over beat › bater demais
(to) over eat › comer demais
overlap › sobrepor
oxtail › rabada
oyster cracker › certa variedade de cream cracker em forma de bolinha
oysters › ostras

P

(to) pack › compactar; pressionar; socar
palatable › saboroso
palate › paladar
(red) palm oil › azeite-de-dendê
pan (used in the oven) › fôrma
pan (used on the stove) › frigideira; panela rasa
(bread) pan › fôrma para pão; fôrma para bolo inglês
(dish) pan › bacia para lavar louça
(frying) pan › frigideira
(layer) pan › fôrma de bolo
(muffin) pan › forminha de empada
(roasting) pan › assadeira; tabuleiro para assar
(tube) pan › fôrma de buraco no meio; fôrma de anel; fôrma de furo; fôrma de pudim
(to) pan-broil › fritar em fogo alto numa panela pesada e preaquecida, desprezando qualquer gordura ou líqüido acumulado

pancake › panqueca americana
pancake turner › espátula
pantry › despensa
papaw; pawpaw › papaia
papaya › papaia
(a fruit similar to) papaya › mamão
paper towel › toalha de papel; papel-toalha **(US)**
paprika › páprica doce
(to) parboil › cozinhar apenas até deixar parcialmente cozido
parchment › papel manteiga
(to) pare › descascar
(vegetable) parer › descascador de legumes
paring knife › faca de descascar fruta
parsley › salsa; salsinha
(Chinese) parsley › coentro
partridge › perdiz
passion fruit › maracujá
pasta › macarrão; massa italiana
pasteurized milk › leite pasteurizado
pastry › folhada **(US)**; massa para torta **(UK)**
pastry blender › misturador de massas
pastry board › tábua para massas
pastry brush › pincel de cozinha
pastry cloth › pano usado para ajudar a abrir massa
pastry case › massa para torta **(UK)**
pastry cutter; pastry wheel › carretilha de cortar massa
(to) pat › apalpar; pressionar ou bater levemente
patty shell › vol-au-vent
peach › pêssego
peanut › amendoim
peanut oil › óleo de amendoim
pear › pêra
(prickly) pear › figo-da-índia
peas; green peas › ervilha
(black-eyed) peas › feijão-fradinho
(chick) peas › grão-de-bico
(dried) peas; split peas › ervilha partida ou seca

pecan › noz-pecã
peel › descascar; pelar
pemmican › carne magra seca, batida e misturada em bolinhos (de origem indígena norte-americana)
pepper › pimenta
pepper grinder; pepper mill › moedor de pimenta-do-reino
pepper shaker › pimenteiro
(bell) pepper › pimentão **(US)**
(black) pepper › pimenta-do-reino
(cayenne) pepper › pimenta-de-caiena; pimenta-malagueta
(green) pepper › pimentão
(hot) pepper; red pepper › pimenta ardida
(red) pepper › pimenta-vermelha; pimenta-de-caiena; pimenta-malagueta
(red sweet) pepper › pimentão-doce; pimentão vermelho
(white) pepper › pimenta-branca
peppercorn › grão de pimenta
peppermint › hortelã-pimenta; menta
perch › perca
(a fish similar to the) perch › badejo
persimmon › caqui **(US)**
pestle › socador
petit four › artigo do mesmo tamanho do petit-four brasileiro, mas doce
pheasant › faisão
(to) pickle › macerar (expor à ação prolongada de líquido, ensopando)
pickles › pepino etc. em conserva; picles
pickling spice › mistura para picles, salmoura ou escabeche
picnic › piquenique
pie › torta **(US)** torta fechada **(UK)**
pie dish › pirex fundo **(UK)**
pie shell › massa para torta **(US)**
pièce de résistance › parte da refeição mais nobre, P.EX. uma sobremesa
piglet › leitão
pig's foot **(US)**; *pig's trotter* **(UK)** › pé de porco

pimiento; pimento › pimentão doce (de uma variedade que normalmente se encontra em conserva)
pinch › pitada
(a type of) pine nut › pinhão
pine kernels › pinoli, certa variedade de pinhão **(UK)**
pine nuts › pinoli, certa variedade de pinhão **(US)**
pineapple › abacaxi; ananás
pink peppercorns › pimenta-rosa
pint › medida para líquidos, equivalente a 0,4732 litro **(US)**
pinto beans › feijão-carioquinha
pip › semente pequeno **(UK)**
pipe › confeitar
pistachios › pistache
pit › caroço **(US)**
(to) pit › tirar semente; descaroçar
(barbecue) pit › churrasqueira
pita bread; Syrian bread › pão sírio
pitcher › jarra
pith › fibra branca (filamento) encontrada especialmente na laranja e no pimentão
pizza cutter › cortador de pizza
(to) place › colocar; pôr
place mat › jogo americano
plain chocolate › chocolate meio-amargo **(UK)**
plantation › 1. latifúndio de monocultura, em especial dos tempos da colônia ou da escravidão; 2. plantação (a palavra é pouco usual nessa acepção)
plastic bag › saco plástico
plastic wrap › filme plástico **(US)**
plat du jour › prato do dia
(china) plate › prato de louça
(dinner) plate › prato raso
(hot) plate › 1. fogareiro; 2. chapa para aquecer alimentos; 3. chapa elétrica
(soup) plate › prato fundo
platter › travessa
pluck › coração, figado, pulmão e traquéia usada para comer **(UK)**

plum › ameixa fresca
(to) plump › rehidratar frutas secas
plunger › desentupidor de pia
(to) poach › cozinhar rapidamente em caldo temperado ou água; escaldar
pod › vagem de leguminosa
pomegranate › romã
(to) pop › estourar; mover-se rapidamente
pop; soda pop › refrigerante
popcorn › pipoca
poppy seeds › sementes de papoula
porcelain › porcelana
porcini › certa variedade de cogumelo
pork › carne de porco
pork fat › toucinho (**UK**)
pork tenderloin › lombinho
porridge › mingau (**UK**)
portion › porção; parte
pot › panela funda
pot holder › pegador de panela
(bean) pot › caçarola refratária para feijão
potable › potável
potato › batata; batata-inglesa
potato chips › batata frita de saquinho (**US**)
potato masher › amassador de batata
potato ricer › espremedor de batata
(new) potato › batata-bolinha
potluck › 1. trivial: qualquer comida que se possa improvisar; 2. festa à qual cada convidado leva um prato
(a full set of) pots and pans › bateria de cozinha
pottery › cerâmica
poultry › aves domésticas
poultry scissors › destrinçador de frango
(to) pound (with a mallet) › bater (com martelo)
(to) pour › despejar
pour in › acrescentar despejando
(instant skim) powdered milk › leite em pó desnatado instantâneo

powdered sugar › açúcar em pó (açúcar triturado mais fino que o granulado e mais grosso que o de confeiteiro)
prawns › camarões, especialmente os grandes
(to) preheat › preaquecer
prepared mustard › mostarda
preservatives › conservantes
preserves › geléia (com pedaços de fruta) (UK); conserva; compota (US)
(to) press › esmagar; pressionar
press lightly › levemente espremer
pressed ham › presunto (industrializado)
(to) pressure cook › cozinhar em panela de pressão
pressure cooker › panela de pressão
(to) prick › furar (com garfo)
prickly pear › figo-da-barbária; figo-da-índia
processed foods › comida tratada com conservante
produce › frutas e hortaliças
prosciutto › presunto de Parma
prune › ameixa seca
pudding › creme (US); sobremesa (UK)
pudding basin › tigela refratária (UK)
pudding rice › certa variedade de arroz para fazer sobremesas (UK)
pullet › franga
pumpernickel (bread) › pão pumpernickel
pumpkin › abóbora-moranga; moranga
punch › ponche
punch bowl › poncheira
(to) punch down dough › bater levemente na massa para ela murchar (US)
punnet › cesta de aproximadamente um pint/ meio litro (UK)
puré; puree › purê
(to) puré; puree › fazer purê
purple onion; Bermuda onion › cebola-roxa
(to) put (past/past participle put) › pôr; colocar
(to) put in a pan or mo(u)ld › enformar
Pyrex dish › pirex

Q

quail › codorna
quart › medida para líquidos equivalente a 0,9463 litros
quarter › dividir em quatro partes
quick bread › bolo (não muito doce) ou pão que não leva fermento biológico
quince › marmelo
quince sweet › marmelada

R

R.S.V.P. (em francês: *répondez s'il vous plait*) › pedido formal de confirmação de presença
rabbit › coelho
rack › descanso em forma de grelha
radish › rabanete
(to) raise one's glass › brindar
raisins › passas; uva passa
(golden) raisins › uva passa branca **(US)**
(kitchen) range › fogão
rapeseed oil › oleo de canola **(UK)**
rare › malpassado
rasher › fatia, normalmente de bacon **(UK)**
raspberry › framboesa
rations › rações (para pessoas)
raw › cru; não-cozido
raw sugar › residuo da cana-de-açúcar após a tiragem do melado. Existem duas variedades: demerara e Barbados
(to) reap › colher; fazer a colheita
(to) rebound › afundar a massa e vê-la voltar
reception › 1. recepção; 2. festa de casamento
(to) reconstitute › rehidratar alimentos secos

red beans › feijão-roxinho
red cabbage › repolho-roxo
red fruit and berries › frutas vervelhas
red lettuce › alface-roxa
red pepper › pimenta-vermelha; pimenta-malagueta
red snapper › cherne-vermelho
red sweet pepper; red bell pepper › pimentão; pimentão-doce
red wine › vinho tinto
(to) reduce › diminuir; reduzir
refreshment › lanche
(to) refrigerate › pôr na geladeira; refrigerar
refrigerator; fridge (COLLOQ) › geladeira
(to) re-heat › requentar
(to) remove corn from the cob › debulhar o milho
(to) remove the fat › desengordurar
(to) rend; (past/past participle rent) › rasgar; arrancar
(to) render › derreter banha
(to) require › pedir; mandar pôr
(to) reserve › guardar; reservar
(to) resift › peneirar novamente
(to) return › 1. levar de novo ao fogo; 2. retornar
rhubarb › ruibarbo
rib › costela
rice flour **(US)**; *ground rice* **(UK)** › farinha de arroz
(brown) rice › arroz integral
(white) rice › arroz branco
(wild) rice › arroz-selvagem (colhido na natureza no norte dos EUA)
rich › rico; pesado
rind; zest › casca de cítrico
rinse › enxaguar; lavar
ripe › maduro
(to) rise (past rose, past participle risen) › crescer; aumentar
roast › carne assada; assado **(US)**
(to) roast › assar carne
roaster › frango para assar

roasting pan › tabuleiro para assar; assadeira
rocket › rúcula (UK)
rockmelon › melão semelhante ao melão-cantalupo ou melão-do-príncipe
roe › ova de peixe
roll › pãozinho
(to) roll out dough › abrir a massa; estender a massa
(to) roll up › enrolar
(French) roll › pãozinho francês
rolling pin › pau de macarrão; rolo de macarrão
Romaine lettuce › alface-romana
root cellar › porão para guardar raízes ou tubérculos comestíveis
root ginger › raiz de gengibre (UK)
root vegetables › batatas e hortaliças de raiz, dentre os quais se incluem a beterraba, a cenoura, o nabo, o rabanete e a cebola
rosé › vinho rosé
rosehip › fruta duma roseira silvestre
rosemary › alecrim
(to) rot › estragar; apodrecer
rotary egg-beater › batedor rotativo; batedor de ovos com manivela
roughage › alimentos ricos em substâncias indigeríveis
round › 1. coxão mole; 2. coxão duro
(to) rub › esfregar
(to) rub through › passar na peneira
rubber spatula; rubber scraper › pão-duro (espátula de plástico ou silicone para raspar tigelas)
rubbish bin › lata de lixo (UK)
rump › alcatra
(to) run (past ran, past participle run) › escorrer
rusks › certa variedade de torradas (UK)
rye › centeio
rye bread › 1. pão de centeio; 2. pão preto

S

saccharine › sacarina
sack › xerez **(UK)**
safflower oil › óleo de açafroa
saffron › açafrão (um estigma; não confundir com açafrão-brasileiro, uma raiz, também chamado cúrcuma ou açafrão-da-terra)
sage › sálvia
salad bowl › saladeira
salami › salame
salmon › salmão
salt › sal
salt and pepper shakers › galheteiro
salt peter › salitre
salt shaker › saleiro
salted cod fish; salt cod › bacalhau seco e salgado
sanding sugar; coarse sugar › açúcar cristalizado
sandwich loaf › pão de fôrma; pão americano
sap › seiva
sassafras › sassafrás
sauce › 1. molho (de carne, tomate etc.); 2. calda (de chocolate etc.); 3. purê (de maçã etc.)
sauce boat › molheira
saucepan › caçarola; panela de tamanho médio
(set of) saucepans › bateria de panelas
saucer › pires
sauerkraut › chucrute
sausage › 1. lingüiça; 2. salsicha
(to) sauté › refogar
savo(u)ry; summer savo(u)ry › segurelha
savo(u)ry › 1. com gosto ou cheiro saboroso; 2. com sabor salgado, picante, ardido e/ou azedo, mas não doce
savory tidbits (usually an hors d'oeuvre) › salgadinhos
(to) scald › 1. escaldar; 2. aquecer o leite até ficar bem quente um pouco antes de ferver
scale › 1. escamas; 2. balança

(to) scale › escamar
scallion › cebolinha (**US**)
scallops › coquilles Saint-Jacques; vieira
scampi › camarão grande
schnapps › aguardente
scissors › tesoura
(poultry) scissors › destrinçador de frango
(to) scoff › comer com avidez
scoop › 1. concha para alimentos secos ou sorvete; 2. pá
(to) scoop › pegar com pá ou concha
(to) scorch › chamuscar; queimar levemente
(to) score › fazer cortes leves
(to) scramble eggs › mexer ovos
(to) scrape › raspar; rapar
(rubber) scraper › pão-duro (espátula de plástico ou silicone para raspar tigelas)
scraper; vegetable scraper › descascador de legumes
screw top › tampa com rosca
(to) scrub › esfregar
seafood › peixe ou frutos do mar
(to) seal › fechar bem; selar
(to)seal meat (**UK**)*; sear meat* (**US**) › dourar a carne
(to) season › temperar
seasoned salt › sal com temperos
seasoning › tempero
seaweed › algas
second joint; thigh › sobrecoxa
seconds › repetição da mesma comida
(to) section › cortar em gomos, pedaços
seed › semente (**US**)
(to) seed › tirar a semente; descaroçar (**US**)
seeded › 1. com semente; 2. sem semente
self-service › servir a si mesmo
(egg) separator › separador de gemas
semi-sweet chocolate › chocolate meio-amargo (**US**)
semolina › mingau de trigo, normalmente feito para sobremesa (**UK**)
serrated knife › faca serrilhada; faca para pão

serving › porção
serving dish › travessa
sesame oil › óleo de gergelim
sesame seeds › gergelim
(to) set (past/past participle set) › deixar endurecer
(to) set aside › deixar de lado
(to) set the table › pôr a mesa
(to) settle › assentar
(to) shake (past shook, past participle shaken) › chacoalhar
(pepper) shaker › pimenteira
(salt) shaker › saleiro
(salt and pepper) shaker › galheteiro
shallot › chalota; echalota
Sharon fruit › caqui **(UK)**
(to) shape › formar; moldar
sharp › 1. picante; ardido 2. azedo; 3. afiada (faca)
shaved ice › gelo raspado
shavings › lascas
(kitchen) shears › tesoura de cozinha
shell › 1. concha (envoltório); 2. casca
(to) shell › tirar a casca
shellfish › 1. frutos do mar; 2. mariscos
sherry › xerez (vinho espanhol branco e licoroso)
(bamboo) shoots › brotos de bambu
shopping cart **(US)**; *shopping trolley* **(UK)** › carrinho de supermercado
short drink › aperitivo; coquetel
short order cook › cozinheiro de fast food
(to) shred › 1. cortar em tirinhas; 2. desfiar
shrimp › camarão
(to) shuck › tirar a palha do milho
side board › aparador
side dish › acompanhamento
sieve › coador; peneira
(to) sift › peneirar
sifter › peneira para farinha
silver beet › certa variedade de acelga **(UK)**
silverware › talheres

(to) simmer › ferver em fogo brando
sink › afundar; pia
(to) sink (past sank, past participle sunk/sunken) › afundar
(to) sip › bebericar
sirloin › parte do lombo da vaca
sit-down meal › refeição em que todos sentam à mesa
skewer › espeto
(to) skewer › pôr no espeto; espetar
skillet › frigideira
(to) skim › 1. desnatar; 2. escumar; 3. tirar da superfície
skimmer › escumadeira
(to) skin › descascar; despelar; pelar
(to) slash › cortar uma fenda
slice › fatia
(to) slice › fatiar
slicer › fatiador; cortador
(to) sliver › tirar uma lasca
slotted spoon › um tipo de escumadeira
small cup of coffee; demitasse › cafezinho
smell › cheiro
(to) smell › 1. cheirar; sentir cheiro; 2. cheirar; exalar cheiro
smelt › manjuba
smoked fatback › toucinho defumado
smorgasbord › refeição sueca com grande variedade de pratos servidos em bufê
snack › lanche
snail › caracol; escargot
(red) snapper › cherne-vermelho
snifter › taça especial para servir conhaque
(to) snip › cortar (ervas) em pedacinhos com uma tesoura
snook; robalo › robalo
snout › focinho; tromba
snow pea (US)*; sugar pea* › ervilha-torta; ervilha chata
(to) soak › pôr de molho; embeber; macerar
(to) soak up › absorver
soda cracker › certa variedade de cream cracker
soda pop › refrigerante
soft butter › manteiga em temperatura ambiente

soft center of bread › miolo
soft margarine › margarina cremosa
(to) soften › amolecer; deixar amolecer
soggy › encharcado
sole › peixe semelhante à pescada
sorghum › melado feito de sorgo (planta afim do milho)
sorrel › azeda
soul food › culinária afroamericana (**US**)
soup › sopa
soup kettle › caldeirão
soup plate; soup dish; soup bowl › prato fundo
soup tureen › sopeira; terrina para sopa
(dehydrated) soup › sopa desidratada
soupe du jour; soup of the day › sopa do dia
sour › 1. azedo; 2. ácido; 3. fermentado; 4. estragado; 5. coalhado; 6. certa variedade de bebida alcoólica
(cultured) sour cream › creme de leite azedo (mas não azedado), semelhante à coalhada, feito com ácido láctico
sour milk › leite azedo ou estragado
sourdough › massa de pão em que a fermentação é ativa, típica de San Francisco
sow › porca
(to) sow › plantar
soy oil; soybean oil › óleo de soja
soy sauce › molho de soja; shoyu
soybean; soy (**US**)*; soya* (**UK**) › feijão soja; soja
soybean curd › queijo de soja; tofu
spaghetti › espaguete
spaghetti squash › melão-espaguete
spareribs › costeleta; costeleta de porco
spatula › espátula
spatula (for cake or pie) › pá para bolo; espátula para bolo
(rubber) spatula › pão-duro (espátula de plástico ou silicone para raspar tigelas)
spearmint › hortelã
spice › especiaria
spicy › apimentada

(to) spill (past/past participle spilled/spilt) › derramar
spinach › espinafre
spit › espeto
(to) split (past/past participle split) › rachar; partir; repartir
split peas › ervilha partida ou seca
(to) spoil › estragar
spoiled milk › leite estragado
sponge finger › certa variedade de biscoito champanhe fofo como bolo **(UK)**
spoon › colher
(to) spoon › pegar com colher
spread › 1. o que se passa no pão; 2. comida (coloquial)
(to) spread (past/past participle spread) › espalhar
spreader knife › espátula
spring chicken › galeto
spring form › fôrma de abrir; fôrma de aro removível
spring onion; salad onion › cebolinha **(UK)**
spring water › água mineral
(to) sprinkle (liquid) › regar; respingar
(to) sprinkle (powder) › polvilhar
(to) sprinkle (small pieces) › jogar por cima; salpicar
sprout › broto
(to) sprout › brotar
(bean) sprouts › broto de feijão; moyashi
(Brussels) sprouts › couve-de-bruxelas; repolhinho-de--bruxelas
squab › pássaro jovem, em especial pombo
square meal › uma refeição reforçada
squash › abóbora e afins (ver *squashes*)
(acorn) squash › abóbora-japonesa
(spaghetti) squash › melão-espaguete
squashes › frutos dentre os quais se incluem a abóbora--japonesa, o chuchu, a moranga, o melão-espaguete e a abobrinha
(to) squeeze › espremer (laranjas)
squid › lula
squirrel › esquilo
stale › passado; envelhecido; amanhecido (pão)

staples › alimentos básicos
starch › amido; fécula
starter › entrada
steak › bife
(to) steam › cozinhar no vapor; soltar vapor
(to) steep › pôr em infusão
(to release) steam › soltar vapor
steamer › 1. vongole ao vapor; 2. caldeira para cozinhar no vapor
steel wool › esponja de aço; palha de aço; Bombril
steer › 1. boi castrado antes de amadurecer sexualmente; 2. touro novo
stemmed glass › taça
stew › ensopado
(to) stew › cozinhar com bastante molho; ensopar
stew meat › carne cortada em cubos
(to) stick (past/past participle stuck) › 1. enfiar; 2. grudar
(to) stir › mexer
(to) stir in › juntar mexendo sempre
(to) stir-fry › fritar mexendo sempre, à moda chinesa
stock › caldo
stock cube › caldo em cubinho **(UK)**
(to) stock › estocar; armazenar
stone › caroço **(UK)**
(to) stone › tirar a semente; descaroçar **(UK)**
stopper › 1. rolha; 2. tampa de garrafa
store › loja
(to) store › armazenar; estocar
stout › certa variedade de cerveja escura e forte
stove › fogão **(US)**
(to use the liquids to) strain › coar
(to use the solids to) strain › escorrer
strainer › coador
(bar) strainer › coador de coquetel
(drinking) straw › canudo
strawberry › morango
street market › feira livre
(to) stud › entroduzir (alho), espetar (cravo)

(to) stuff › rechear
stuffing › recheio de ave
Styrofoam ice chest › geladeira de isopor
suckling pig › leitão
suet › sebo
sugar › açúcar
sugar bowl › açucareiro
(maple) sugar › açúcar de seiva de bordo
(powdered) sugar › açúcar em pó (açúcar triturado mais fino que o granulado e mais grosso que o de confeiteiro)
(superfine) sugar › açúcar fino mas não tanto quanto o de confeiteiro **(US)**
sugar crystals › açúcar dourado **(UK)**
sugarcane › cana-de-açúcar
sugarcane juice › caldo de cana
sultanas › uva passa branca **(UK)**
sunflower oil › óleo de girassol
sunflower seeds › semente de girassol
surface › superfície
(to) surface › vir à tona
Suriname cherry › pitanga
sustenance › alimento
(to) swallow › engolir
sweat › refogar (cebola, cenoura, salsão) em fogo médio--baixo e pouca gordura para amolecer mas não dourar
swede › certa variedade de nabo **(UK)**
sweet and sour sauce › molho agridoce
sweet basil › alfavaca
sweet fennel › erva-doce
sweet marjoram › manjerona
sweet potato › batata-doce
sweetbreads (pancreas or thymus) › timo de vitela
sweetcorn › milho verde **(UK)**
(to) sweeten › adoçar
sweetened condensed milk › leite condensado
(artificial) sweetener › adoçante

sweets › 1.balas; 2.bombons; 3.docinhos; doces; 4.chocolate em barra **(UK)**
sweet-sop › fruta-do-conde; pinha; ata
Swiss chard › certa variedade de acelga
Swiss cheese › queijo tipo Ementhal **(US)**
Swiss roll tin › fôrma para assar rocambole **(UK)**
swizzlestick › misturador de bebida
swordfish › peixe-espada
Syrian bread › pão sírio
(gooseberry) syrup › (xarope de) groselha
(maple) syrup › xarope de seiva de bordo

T

tabasco sauce › certa variedade de molho apimentado de pimenta-malagueta
table salt › sal
tablecloth › toalha de mesa
tablespoon › colher de sopa
taffy; toffee › bala de leite
tail › rabo; cauda
take-away **(UK)***; take-out* **(US)***; food to go* › comida para viagem
tangerine › mexerica; tangerina
tap; faucet › torneira
tapioca › sagu de mandioca
tarragon › estragão
tart ADJ › 1. azedo; 2. picante
tart S › torta aberta **(UK)**; tortinha **(US)**
tartlet › tortinha **(UK)**
taste › sabor
(to) taste › experimentar; provar; sentir o gosto
(to one's) taste › a gosto
tastebuds › paladar
tasty › saboroso

tea bag › saquinho de chá
tea cup › xícara de chá
tea kettle › chaleira
tea strainer › coador de chá
tea towel › pano de prato (UK)
teapot › bule de chá
teaspoon › colher de chá
teetotaller › pessoa que prega a abstinência de álcool
tender › macio (carne, verduras cozidas); tenro
(to) tenderize › amaciar
tenderizer › amaciante de carne
tenderloin › 1. lombo; 2. filé
Tex-Mex food › culinária texana vinda da época em que o Texas era parte do México
texturized soy protein (TSP); texturized vegetable protein (TVP); vegetarian steak chunks; vegetarian mince › proteína de soja
thermometer › termômetro
(candy) thermometer › termômetro para medir o ponto de bala
thermos › garrafa térmica
(to) thicken › encorpar; engrossar
thirsty › com sede
thyme › tomilho
tidbit; titbit › petisco
tier › 1. fileira; 2. camada
timer › marcador de tempo
tin › 1. lata (UK); 2. fôrma
(bread) tin › fôrma para pão; fôrma para bolo inglês
(cake) tin › fôrma para bolo
(layer cake) tin with removable bottom › fôrma de fundo removível
(muffin) tin › forminha de empada
tinned food (UK); *canned food* (US) › comida enlatada
tip › 1. gorjeta; 2. dica
toast › torrada
(to) toast › 1. torrar; 2. brindar
toaster › torradeira

toaster oven › forninho elétrico; miniforno
toddy › drinque feito com uísque e água quente
toffee; taffy › bala de leite
tofu › queijo de soja
tomatillos; husk tomato › camapu
tomato paste; tomato extract › extrato de tomate
tomato pulp › polpa de tomate
tomato sauce › catchup (**UK**); molho de tomate
tongs › pegador
tongue › língua
toothpick › palito (**US**)
toothpick holder › paliteiro
top › tampa
(to) top › cobrir
(to) top and tail berries › limpar e tirar as talhinhas de morangos, amoras, etc. (**UK**)
tortilla › pão mexicano fino e redondo feito de farinha de milho ou trigo; tortilha mexicana; tortilla
(to) toss › revirar
(to) touch › encostar; tocar
tough › difícil de cortar ou mastigar (com referência a carne)
(dish) towel › pano de prato
(paper) towel › toalha de papel; papel-toalha
(to) transfer › passar de um recipiente para outro
trash › lixo
trash can › lata de lixo (**US**)
tray › bandeja; tabuleiro
(ice) tray › fôrma de gelo
treacle › melado (**UK**)
(to) trim › cortar; aparar
tripe › bucho
trivet › 1. suporte (trempe ou gancho de ferro) para panelas, tachos etc.; 2. descanso de travessas
trout › truta
truffle › 1. trufa (cogumelo subterrâneo); 2. trufa (bombom)
(to) truss › amarrar as pernas e asas de uma ave e se recheada, fechar com espetinho

tube pan › fôrma de buraco no meio; fôrma de anel; fôrma de furo; fôrma de pudim
tuna › atum
(soup) tureen › sopeira
turkey › peru
turmeric › cúrcuma; açafrão-brasileiro; açafrão-da-terra
(to) turn › virar
(to) turn into › despejar
(to) turn out › colocar
(to) turn sour › azedar
turnip › nabo
turtle › tartaruga

U

(to) uncover › tirar a tampa; destampar
underfed › subalimentado; subnutritado
(to) unmo(u)ld › desenformar
utility knife › faca de cozinha de tamanho médio

V

vanilla bean **(US)**; *vanilla pod* **(UK)** › fava de baunilha
vanilla extract › essência de baunilha
vat › tonel; barril
veal › vitela
veal cutlet › costeleta de vitela
vegan › vegetariano que não come laticínios nem ovos
vegetable bin › gaveta de verduras
vegetable brush › escova para limpar hortaliças
vegetable oil › óleo vegetal
vegetable parer; vegetable scraper › descascador de legumes

vegetables › hortaliças (verduras e legumes)
vegetarian mince › proteína vegetal texturizada fina
vegetarian steak chunks › proteína vegetal texturizada grossa
venison › carne de veado
venison and wild game › (carne de) caça
vinegar › vinagre
vinaigrette › molho para salada verde à base de óleo, vinagre e ervas (não corresponde ao vinagrete)
vintage › safra de vinho

W

wafer › 1. biscoito delgado, com ou sem recheio; 2. hóstia
waffle iron › chapa dupla para waffle; fôrma para waffle
waiter/waitress › garçom/garçonete
walnut › noz
(to) warm up › aquecer; requentar
warming tray › réchaud elétrico
(to) wash › lavar
(dish) washer › 1. máquina de lavar louça; lava-louça; 2. copeiro
washing machine › máquina de lavar roupa; lava-roupa
waste › 1. desperdício; 2. lixo
water faucet; water tap › torneira
(carbonated) water › água com gás
(mineral) water › água mineral, em especial uma que tenha valor medicinal
watercress › agrião
watermelon › melancia
waxed paper › papel semelhante ao papel-manteiga (US)
well done › bem-passado
wheat berry › grão de trigo
wheat bran › farelo de trigo
wheat bread; whole wheat bread › pão de trigo
wheat germ › gérmen de trigo

whey › soro de leite
(to) whip › bater (ovos, creme)
whipped cream › chantilly; creme chantilly (nos EUA, 32-40% de gordura)
whipping cream › creme para chantilly
whisk(e)y › uísque
white beans › feijão-branco
white bread › pão de forma
white mushroom; button mushroom › cogumelo
white pepper › pimenta-branca
white rice › arroz branco
white stock › caldo de frango ou de peixe (**UK**)
white wine › vinho branco
whole milk › leite integral
whole wheat flour (**US**)*; wholemeal flour* (**UK**) › farinha de trigo integral
wholesome › saudável
wild quail › codorniz
wild rice › arroz-silvestre (colhido na natureza no Canada e no norte dos EUA)
wilt › adicionar folhas aos ingredientes quente (como arroz, massa italiana) para somente murchar
(red, white, rosé) wine › vinho (tinto, branco, rosé)
wine cellar › adega
wine glass › cálice
wine tasting › degustação de vinho
wing › asa
wire rack › descanso em forma de grelha
wire whisk; egg whisk; wire whip › batedor manual de ovos, de arame, em forma de pêra
wok › panela wok; wok
wood alcohol › espírito de madeira; álcool metílico
wooden chopping bowl › tigela de madeira para picar ingredientes
wooden spoon › colher de pau
Worcestershire sauce › molho inglês
wrap › embrulhar
(to) wring (past/past participle wrung) › torcer

Y

yam › batata-roxa
(brewer's) yeast › levedura de cerveja
(compressed) yeast › fermento biológico fresco em tablete
(dry) yeast › levedo; levedura
yogurt (yoghurt) › iogurte

Z

zest; rind › lasquinhas de casca de frutas cítricas
zucchini › abobrinha
zwieback › certa variedade de torradas (**US**)

EXPRESSÕES IDIOMÁTICAS

O inglês inclui muitas expressões idiomáticas que se utilizam de termos ligados à alimentação e à culinária. Eis uma lista para sua informação e, eu espero, diversão.

A

Adam's apple › pomo-de-adão
almond eyes › olhos amendoados
apple of one's eye › a menina-dos-olhos de alguém; pessoa muito estimada
apple polisher › adulador; bajulador; puxa-saco
at one's own sweet will › de acordo com a própria vontade

B

B.L.T. (bacon, lettuce and tomato) › sanduíche de bacon, alface e tomate
B.Y.O.B. (bring your own booze) › num convite para festa ou encontro informal, pedido para levar a bebida que se tomará
bag of bones › extremamente magro
baloney › disparate; bobagem; tolice; insensatez; absurdo
bare bone essentials › o básico; o mínimo indispensável
(to) be a fish out of water › sentir-se desambientado
(to) be eating someone › estar preocupando alguém; fazer alguém remoer-se
bean pole › pessoa magra e alta; varapau
Bean Town › Boston
Beat it! › Sai fora!
beef › queixa
(to) beef › queixar-se, reclamar
(to) beef something up › melhorar algo
beefy › grande e musculoso

beet red › vermelho como um pimentão (normalmente de vergonha)
best thing since sliced bread › algo maravilhoso (literalmente: a melhor coisa desde a invenção do pão fatiado)
(the) Big Apple › Nova York
big cheese › patrão
(to) bite one's head off › atacar verbalmente
(to) bite one's tongue › segurar-se para não dizer algo
(to) bite the dust › morrer
(to grab a) bite to eat › comer às pressas um lanche ou refeição rápida
(have a) bite to eat › lanche ou refeição rápida
(to be) boiling › ficar louco da vida; zangar-se; irar-se
(to) boil down to › resumir-se a
(to have a) bone to pick with someone › ter contas (diferenças) a acertar com alguém
(to) bone up on › estudar exaustivamente; pesquisar
bone-breaking › fisicamente difícil (trabalho)
bonehead › tolo; de pouco inteligência
boney › magro
booze › bebida alcoólica
bottomless pit › alguém que consegue comer grandes quantidades sem ficar satisfeito; saco sem fundo
Bottoms up! › um brinde
bread › dinheiro
breadwinner › aquele que provê o sustento da família
(to) break the ice/an ice breaker › o primeiro passo para criar comunicação
brew › cerveja
(to) bring home the bacon › conseguir; obter o prêmio; ter bom êxito
(to) brown bag it › levar almoço de casa para escola ou serviço
buns › bumbum
burger joint; hamburger joint › restaurante que serve hambúrgueres (expressão ligeiramente pejorativa)

(to) burn to a crisp › 1. queimar até ficar crocante;
2. queimar-se muito ao sol
(to) burn up › irritar-se
(to be/get) burned › dar-se mal
burnt out › alquebrado por causa do excesso de trabalho e/ou libertinagem
butter fingers › alguém desajeitado
(to) butter up › adular, bajular

C

candy man › traficante
carrot-topped ADJ › ruivo
Casper Milquetoast › pessoa muito tímida e acanhada
cauliflower ears › orelhas deformadas por ferimento de boxe
Cheers! › um brinde
cheesecake › fotos artísticas femininas
cheesy › malfeito; inferior; estragado
cherry lips › lábios vermelhos
(to) chew on something › cogitar; considerar; ruminar
(to) chew someone out › repreender severamente
(to) chew the fat › conversar; bater papo; jogar conversa fora
chicken; chicken-hearted; chicken-livered › medroso; covarde
chicken feed › quantia diminuta; ninharia
(to) chicken out › retirar-se amedrontado; fugir com medo
(to) chill out › acalmar
Chop-chop! › ordem para que se faça algo com rapidez; Anda logo!
choppers › dentes
chow › rango; bóia; grude (comida)
(to) chow down › comer
chow time › hora da refeição; hora de comer
(to) clam up › calar a boca; parar de falar; recusar-se a falar
cold fish › pessoa de temperamento não-emotivo; pessoa nada amistosa, que não manifesta seus sentimentos
(to) cold turkey › parar subitamente de usar drogas ou cigarro

(to) compare apples and oranges › comparar duas coisas que não podem ser comparadas
(to) cook the books › alterar ilegalmente o balanço contábil
(to) cook up › planejar; preparar; maquinar
corny; cornball › algo batido; expressão fora de moda, cafona
couch potato › pessoa inativa que passa o tempo todo sentada em frente à televisão
crab › pessoa mal-humorada
(to) crab › queixar-se; reclamar
cream of the crop › o máximo; a nata; o fino da bossa; o que há de melhor
cream puff › pessoa franzina; fracote; maricas
(to) cream someone › vencer alguém de lavada num jogo; "dar uma surra"
crème de la crème › o melhor; a nata; o fino da bossa
crusty › de mau gênio; insolente; rabugento (adjetivo mais usado para pessoas idosas)
(to) cry in one's beer › sentir pena de si mesmo; sentir autocomiseração
(to) cry over spilt milk › fazer lamentações vãs; chorar o leite derramado
cup of tea › aquilo que mais agrada
(to) cut the mustard › atingir um padrão desejado

D

dead duck › alguém encrencado
different kettle of fish › outro assunto
din-din › jantar
dish › moça atraente
(to) dish something out › 1. dar conselhos; 2. criticar; 3. castigar
dive › restaurante ou bar de má reputação
dog-eat-dog › Só os fortes sobrevivem
doggy bag › pacote com os restos de refeição feita em restaurante, levada para casa

dollars to doughnuts › aposta certa; barbada
dough › dinheiro; grana; tutu; bufunfa
(to) down something › beber (às vezes comer), geralmente muito e rápido
Down the hatch! › um brinde
(to) drive one bananas; (to) drive one nuts › enlouquecer alguém; deixar alguém louco
duck soup › tarefa fácil; canja

E

(to) eat; (to) eat one up › irritar; deixar triste
(to) eat crow › retratar-se; pagar língua; submeter-se; humilhar-se
(to) eat high off the hog › comer só do mais caro
(to) eat humble pie › humilhar-se; desculpar-se
(to) eat one's words › desmentir as próprias palavras; contradizer-se
(to) eat out of the palm of one's hand › ser dócil; ser subserviente; comer na palma da mão de alguém; aceitar tudo passivamente
(to) eat someone out of house and home › 1. comer muito; 2. explorar; arruinar alguém
(to) eat up a storm › comer muito
eats › os alimentos; a comida; os "comes"
(to) egg one on › instigar; provocar
egghead › pessoa inteligente e estudiosa

F

fast food › comida de preparo rápido
(to) feed one's face › comer
(to) feel one's oats › 1. estar cheio de energia e vigor; estar exuberante; 2. entrar na fase do despertar sexual
fine kettle of soup/fish › embrulhada; situação difícil; embaraço; confusão

firewater › aguardente
(to) fish for compliments › pedir elogios; pedir confete
fishy › duvidoso; improvável; suspeito; mal contado
(to) flake off › dizer a alguém para dar o fora
flaky › avoado
flash in the pan › relacionamento rápido, temporário
(to) flounder › andar aos tropeços, de modo desajeitado ou difícil; estar meio perdido
flying saucer › disco-voador
food for thought › algo para pensar
(to) fork over › 1. pagar; 2. dar
(to) freeze one's buns off › ficar com muito frio (literalmente, passar tanto frio que até o bumbum cai)
Freeze! › Pare!
fridge; refrigerator › geladeira
fried › 1. embriagado; 2. alguém que parece ter sofrido danos cerebrais (normalmente pelo uso de drogas)
(to) fritter away one's time › gastar tempo à toa
fruit › homossexual masculino
fruitcake › alguém louco
fruitful › produtivo, frutífero
(to) fudge › 1. disfarçar; 2. fazer algo desajeitado ou inadequado
Fudge! › Puxa!
full of beans › vivo, cheio de energia

G

garbage › 1. porcaria; 2. dados irrelevantes em computador
gingerly › 1. cuidadosamente; 2. devagar
glutton for punishment › pessoa que gosta de sofrer; masoquista
(to) go bananas › enlouquecer; pirar
(to) go dutch; Dutch treat › cada um paga o seu
(to) go stale › 1. perder energia e vigor; 2. ficar cansativo aos outros; 3. ficar ultrapassado

(to) go to pot › arruinar-se; falhar; fracassar; dar em nada
(to) go to seed › degenerar; deteriorar
good egg › boa pessoa; pessoa legal
(to have one's) goose cooked › ter encrencas
(to) goose someone › beliscar alguém no bumbum
goose-bumps › pele arrepiada
(to) grab a bite › comer
gravy › 1. lucro; 2. dinheiro
(to) grease one's palm › subornar; molhar a mão de alguém
grub › comida
(to) gum up › estragar, prejudicar
gum-shoe › detetive
(to have) guts › ter coragem ou determinação

H

half-baked › incompleto; não-amadurecido (idéia)
half-pint › baixote; tampinha
ham › pessoa ou ator que exagera ou dramatiza demais; canastrão
(to) ham it up › interpretar (cena ou papel) de modo exagerado ou afetado
(a) hard nut to crack › problema difícil
hard stuff › bebida destilada
hash house › restaurante de baixa categoria
(to) hash over › 1. debater; discutir; 2. rever
(to) hate one's guts › odiar alguém intensamente
(to) have a bone to pick › ter contas (diferenças) a acertar (com alguém)
(to) have taste › ter bom gosto, elegância
Here's mud in your eye! › um brinde
Here's to you! › um brinde
Here's to your health! › um brinde
hog › pessoa que come demais
(to) hog › 1. comer demais; 2. monopolizar
(to) hold water › ser verdadeiro, válido, substancial

hollow leg › alguém que consegue comer muito; saco sem fundo

honey › 1. qualquer coisa agradável, ótima, bem-feita; 2. querido(a); benzinho; amorzinho

hooch › bebida alcoólica

Hot dog! › expressão de aprovação (denota prazer, entusiasmo, satisfação, contentamento); Legal!

hot potato › algo potencialmente perigoso ou volúvel

How do you like them apples? › O que você acha?

how you slice it › como se interpreta algo

I

ice › brilhantes; jóias

icing on the cake › a melhor parte de uma situação

in a jam; in a pickle; in deep waters; in hot water › em dificuldades; enrascado

in a nutshell › resumidamente; em resumo; em síntese

in the dough › rico; próspero; nadando em dinheiro

in the raw › nu, pelado

J

jam › improviso (música de jazz)

jam session › audição de improvisos de jazz

jar › chocar; abalar; aborrecer; irritar

juice › eletricidade; força elétrica

junk food › comida de baixo valor nutritivo e alto teor de gordura e/ou açúcar

junk-food junkie › alguém viciado em junk food

K

knees turn to jelly › ficar de pernas bambas
(to) knock the stuffing out of somebody › dar uma surra em alguém
knuckle sandwich › mão fechada para esmurrar

L

lame duck › membro de qualquer órgão legislativo que não conseguiu reeleger-se mas ainda exerce o final de mandato
lazy bones › preguiçoso
lemon › coisa de qualidade inferior; abacaxi; porcaria
(to) let somebody stew › deixar alguém sofrer as conseqüências de seus erros
(to) live to a ripe old age › atingir idade avançada
loaf › pessoa que passa horas sem fazer nada
long/tall drink of water › pessoa alta

M

(to) make no bones about › falar com toda a franqueza; não ter papas na língua
(to) make one's mouth water › dar água na boca
meal ticket › 1. pessoa de quem se depende para o sustento próprio; 2. fonte de dinheiro
mealymouthed ADJ › falso; hipócrita; dissimulado
meat head › indivíduo de pouco inteligência
meat market › casa de prostituição
(to) mellow out › acalmar
melting pot › lugar ou país onde se integram imigrantes de várias origens
(to) milk someone › explorar alguém; gastar todo o dinheiro de alguém
(to) mince words › ter papas na língua, medir palavras

mix-up › erro, confusão
mmm! › expressão para dizer que algo está delicioso
moonshine/mountain dew › bebida alcoólica destilada ilegalmente ou de contrabando
(to) mug › (S) rosto, cara; (V) 1. atacar uma pessoa e roubá-la na rua; 2. fazer caretas
munchies › desejo forte de comer um lanche; originalmente larica, esse desejo que vem depois que alguém fuma maconha
(to) mushroom › crescer com rapidez
mushy › sentimental, carinhoso, piegas; dengoso, mole; água com açúcar

N

nest egg › pé-de-meia; pequenas economias
noodle head; noodle brains › pessoa de pouca inteligência
not for all the tea in China › nem por todo o dinheiro do mundo
(to) not know beans about something › não saber nada sobre algo
not worth one's salt › inútil; imprestável; incompetente; que não vale o que come
nut › 1. pessoa entusiasta; fã; 2. pessoa maluca
nuts about/over someone/something › louco por; apaixonado por
Nuts to someone/something! › Bolas para você!

O

O.J. (orange juice) › suco de laranja
off one's noodle › louco
old salt › marinheiro
on the rocks › bebida servida com gelo
(to be) on the wagon › parar de tomar bebidas alcoólicas

one for the road › saideira
(to be) out to lunch › estar no mundo da lua

P

P.B.&J. (peanut, butter and jelly) › sanduíche de pasta de amendoim com geléia
P.U. › dito quando algo cheira mal
(to) pan › criticar desfavoravelmente
(to) pan out › resultar; ter bom resultado; ter êxito
pea soup › neblina serrada
pea brain › cérebro de galinha; pessoa de mente pequena
(to be a) peach › pessoa agradável
peach of a… › algo agradável
peaches and cream › fácil e simples
peaches-and-cream complexion › pele cremosa, rósea e aveludada
peachy; peachy-keen › supimpa (modo cafona de descrever algo legal)
(to) peel out › acelerar o carro rapidamente
pickle › apuro
pickle puss › pessoa de cara feia; pessoa desagradável, mal-humorada, intratável
pickled ADJ › bêbado
(to be a) picnic › ser uma experiência agradável (normalmente, essa expressão é usada na forma negativa)
pie in the sky › utopia; sonhos impossíveis
piece of cake › algo facílimo; canja; sopa
pits › algo de má qualidade; uma droga
(to) play second banana › ter papel de segunda ordem
(to) play with one's food › brincar com a comida, em vez de comer
(to) polish something off › comer ou beber tudo
pot › maconha
(the) pot › privada; latrina
pot-belly › barriga grande, pança

pot boiler › livro, peça ou roteiro de filme de pouca qualidade, escrito exclusivamente com fins de lucro
pot-hole › buraco (em estrada, rua etc.)
(to) pour it on › elogiar; adular
pruneface › pessoa idosa
pumpkin › querido(a); benzinho; amorzinho
punch line › parte final de uma piada, onde está o sentido e a graça
punchy › confuso; perplexo
(to) put on ice › 1. adiar; 2. colocar na cadeia
(to) put the bite on someone › pedir empréstimo
(to) put words in one's mouth › 1. ensinar a alguém o que deve dizer; 2. querer dizer o que outra pessoa não disse

R

R.S.V.P. (répondez s'il vous plait) › pedido formal de confirmação de presença
rabbit food › 1. salada; 2. verduras
(to) raid the fridge › atacar a comida na geladeira
raspberry › barulho agressivo feito com a vibração da língua entre os lábios, demonstrando descontentamento, desaprovação
raw deal › tratamento injusto, maldoso
(to) rehash › reescrever, modificar a redação de
ripe › propício; pronto; oportuno
(to) roast › bulir com alguém, provocando, gracejando ou caçoando
rolling in dough › muito rico
rotgut › bebida alcoólica de qualidade inferior
rotten › 1. desagradável; repugnante; nojento; 2. corrupto
rotten apple › má influência; laranja podre; maçã podre

S

saccharine ADJ › piegas
(to) salt something away › guardar, economizar (dinheiro)
(the) salt of the earth › o que há de melhor; pessoa de alto valor moral
salty › de mau gênio; insolente
(to) sandwich › colocar entre; ficar preso entre
saucy › atrevido; insolente; vivo; esperto
(to) say a mouthful › falar a pura verdade; fazer uma observação correta e pertinente
scoop › 1. furo de reportagem; 2. informações, dados, fatos
seedy › em estado precário, miserável, ordinário
shrimp › pessoa de baixa estatura
silly goose › pessoa boba
(to) simmer down › acalmar
(to be) simmering › estar no ponto de estourar, fervendo, bufando
sitting duck › vítima fácil; alvo acessível
skin and bones › muito magro
slop › comida inferior
slow food › o contrário de fast food: comida de preparo lento e ingestão vagarosa
small fry › 1. crianças, criançada; 2. gente sem importância; pessoas insignificantes
small potatoes › coisa sem importância; café pequeno
smart cookie › pessoa inteligente mas dona de personalidade agressiva
(to) soak › cobrar preço demasiadamente alto; fazer pagar em excesso; explorar
(to) soup up › aumentar a potência ou velocidade de motor; envenenar motor
soupy › piegas, sentimental
sour grapes › uvas verdes (com alusão à fábula); algo a que não se tem acesso; algo impossível de obter
sour puss › pessoa de cara feia; pessoa desagradável, mal-humorada, intratável
spicy › picante (com referência a narrativa, conversa etc.)

(to) spill the beans › contar (involuntariamente) um segredo
(to be) spoiled rotten › estragar-se pelo excesso de mimos
(to) spoon-feed › mimar; dar de comer na boca; facilitar
spring chicken › pessoa jovem, ingênua, sem experiência (pejorativo); franguinho(a)
sprout › jovem baixo
(to) sprout up › crescer rápida e repentinamente
spud › batata
staff of life › pão
(to) stew › preocupar-se
(to be in a) stew › estar chateado; estar num dilema
stewed › embriagado
(to) stiff a waiter › não deixar gorjeta
straight up adv › diz-se de bebida alcoólica sem diluição
strawberry-blond › loura de cabelos ruivo-amarelados
string bean › pessoa bem magra e alta; varapau
(to) stuff oneself; (to) stuff one's face › comer muito
(to be) stuffed (to the gills) › comer demasiado; empanturrar-se; ficar cheio até a goela
stuffed shirt › tolo presunçoso
stuffy › 1. abafado; 2. formal; chato; cricri; enjoado
sugar › benzinho; amorzinho; querido(a)
sugar daddy › homem idoso e rico que cobre garotas de presentes e dinheiro em troca de suas atenções e favores sexuais
(to) sugarcoat › tornar (algo) aceitável, agradável; dourar a pílula
sugary ADJ › adulador; lisonjeiro; meloso
(to) swallow one's words › desdizer-se; arrepender-se de ter dito
(to) swallow; (to) swallow something whole › acreditar piamente numa história
(to be) sweet on › estar apaixonada por; estar enamorado de
(to) sweet talk › bajular; convencer com lisonjas; cativar com agrado
(to have a) sweet tooth › gostar muito de doces
sweetie; sweetie pie › querido(a); benzinho; amorzinho
syrupy › meloso; sentimental

T

(to) take candy from a baby › tirar doce de criança

(to) take potluck › quando a visita come os pratos triviais servidos no dia

(to) take the cake › ser realmente surpreendente; ser inacreditável; *That takes the cake!* Isso é o cúmulo! Era só o que faltava!

(to) take with a grain of salt › aceitar algo com certas restrições, com certa reserva; com cautela; desconfiadamente

(to) talk turkey › falar a sério, com franqueza

tart › 1. mulher de costumes dissolutos; 2. prostituta

(to have) taste › ter bom gosto, elegância

tasteful › algo de bom gosto, estético, fino

tater (potato) › batata

tempest in a teapot › tempestade em copo d'água; escândalo por algo insignificante

thirst-quenching › que mata a sede

through the grapevine › algo de que se toma conhecimento pelas fofocas

(to) throw cold water on › desencorajar; jogar água fria na fervura

tied to one's apron strings › muito influenciado pela mãe ou pela esposa; pendurado na barra da saia

(to) toast › brindar

toast of the town › uma celebridade

tomato › garota linda e atraente; uma uva

top banana › comediante principal de um espetáculo

(to) toss one's cookies › vomitar

tough cookie › alguém forte no físico ou no caráter

tough grind › trabalho duro; tarefa difícil; osso duro de roer

tough nut to crack › pessoa intratável, intransigente, obstinada; osso duro de roer

traffic jam › congestionamento de trânsito

tub of lard › alguém extremamente gordo

turkey › 1. fracasso (diz-se de peça teatral); 2. pessoa que não presta para nada; anta
Turkey Day (Thanksgiving Day) › Dia de Ação de Graças

U

unsavo(u)ry › nojento; indecente
upper crust › a nata da sociedade
(to) upset the apple cart › transtornar tudo; revelar um segredo; entornar o caldo
(to) use one's bean; (to) use one's noodle › agir inteligentemente; usar a cabeça

V

(to) veg; (to) veg out › relaxar e não fazer nada
vegetable › alguém que, ao sobreviver a um acidente, não vive, vegeta
veggie › vegetal

W

(to) walk on eggshells › pisar em ovos
(to) wash down › beber para que alguma comida desagradável desça melhor
(to) wet one's whistle › beber algo
What's cooking? › que é que há? O que está acontecendo? Quais são as novidades?
What's eating you? › O que está te atormentando?
(to) whip up › 1. preparar, aprontar rapidamente; 2. instigar; incitar
white-bread ADJ › muito tradicional; comum; sem aventura
wild goose chase › busca malsucedida que representa perda de tempo

(to) wine and dine › entreter numa refeição
(to) wolf down something › comer rápido
(to) work for peanuts › trabalhar por salário insignificante; trabalhar por migalhas

Y

Yum yum!; Yummy! › usado para expressar que a comida é deliciosa

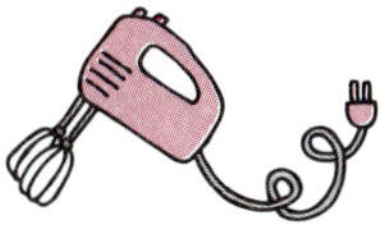

APÊNDICES

HOMÓFONOS NA COZINHA

Homófonos são palavras com escritas e significados diferentes mas com o mesmo som. Por exemplo, *there* (lá, ali), *their* (deles, delas) e *they're* (eles/elas estão/são). Em princípio, pode parecer extremamente confuso, mas o problema está na hora da escrita: o significado se pode deduzir pelo contexto.

Eis uma relação de palavras homófonas que você provavelmente encontrará na cozinha:

ail/ale

» *If I drink too much of this **ale**, I certainly will **ail** tomorrow.*

Se eu beber muito desta **cerveja clara e amarga**, eu certamente **estarei indisposto** amanhã.

beat/beet

» *I tried to make a **beet** soufflé last night. I **beat** the egg whites very well and kept the oven door closed, but the soufflé still fell. At least it was a beautiful pink color and tasted good.*

Eu tentei fazer um suflê de **beterraba** ontem à noite. **Bati** muito bem as claras e mantive a porta do forno fechada, mas mesmo assim o suflê baixou. Pelo menos ficou num tom rosa bem bonito e estava gostoso.

berry/bury

» *Joan's **berry** pie tasted so bad her children decided to **bury** it in the garden.*

A torta de **frutas silvestres** de Joan estava tão ruim que as crianças dela decidiram **enterrá-la** no jardim.

cellar/seller

» *The wine **seller** in town sold me a case of very good rosé. I'm keeping it in the wine **cellar** until the party.*

O **vendedor** de vinho na cidade me vendeu uma caixa

de rosé muito bom. Eu vou mantê-lo na **adega** até a festa.

cereal/serial

» *Every morning when he was a child, Jack ate his **cereal** while he listened to the **serial** story on the radio.*
Quando Jack era criança, ele toda manhã comia seu **cereal** enquanto ouvia o **seriado** no rádio.

coarse/course

» *For the final **course** of the meal, Brenda served a delicious cake with a chocolate icing. Unfortunately the sugar had not completely dissolved, making the icing rather **coarse**.*
Como prato final da **refeição**, Brenda serviu um bolo delicioso, com cobertura de chocolate. Infelizmente, o açúcar não tinha se dissolvido completamente, e então a cobertura ficou meio **açucarada**.

doe/dough

» *Eunice made the **dough** for the pie, added fruit and some sugar and then baked it. While it was cooling at the window, a **doe** came and ate the pie!*
Eunice fez a **massa** para a torta, adicionou frutas e um pouco de açúcar e a assou. Enquanto a torta estava esfriando na janela, uma **corça** veio e a comeu!

eight/ate

» *After we **ate** the salt cod, we became very thirsty. I think I drank **eight** bottles of beer.*
Depois que **comemos** o bacalhau salgado, nós ficamos com muita sede. Acho que bebi **oito** garrafas de cerveja.

flour/flower

» *At the organic foods festival, the cakes were made with whole wheat **flour** and decorated with a **flower** on top, probably a nasturtium.*
No festival orgânico de alimentos, os bolos foram fei-

tos com **farinha** de trigo integral e decorados com uma **flor**, provavelmente uma capuchinha.

foul/fowl

» *Martha thinks the taste of wild **fowl** is **foul.** She really doesn't like it.*
Martha acha que o gosto de **ave** silvestre é **repugnante**. Ela realmente não gosta disso.

kernel/colonel

» *The **colonel** loves to eat corn, but he was late coming to the picnic, so there wasn't even a **kernel** left for him.*
O **coronel** adora comer milho, mas ele chegou atrasado para o piquenique, e já não havia nem sequer um **grão** para ele.

maid/made

» *The dinner was very delicious and a big success. Everyone was impressed that their hostess had **made** the meal. She didn't bother to tell them that it had been cooked by her **maid**.*
O jantar estava muito delicioso e foi um sucesso. Todos estavam impressionados pelo fato de que a anfitriã o tivesse **preparado**. Ela não se preocupou em lhes contar que ele havia sido preparado pela **empregada**.

meat/meet

» *Alice bought **meat** and some vegetables to make a stew. After work she plans to **meet** Paul and invite him to her home for dinner.*
Alice comprou **carne** e alguns legumes para fazer uma sopa. Após o trabalho, ela quer se **encontrar** com Paul e convidá-lo para o jantar.

pair/pear/pare

» *A **pear** is a very sweet fruit. The skin is thin and tender, so it is not necessary to **pare** it. I bought a **pair** of them this morning. Would you like one?*

Pêra é uma fruta muito doce. A pele é fina e macia, então não é preciso **descascá**-la. Eu comprei **duas** esta manhã. Você gostaria de uma?

piece/peace

» *If you give each child a **piece** of pie, they will stop fighting and there will be some **peace** in the house.*
Se você der a cada criança um **pedaço** de torta, eles vão parar de brigar e haverá **paz** nesta casa.

role/roll

» *In the play I had the **role** of the cook and in every performance I had to **roll** out and cut cookie dough.*
Eu fiz o **papel** do cozinheiro na peça e, em cada apresentação, eu tinha que **abrir** a massa e cortá-la.

suite/sweet

» *After dinner the Sanders' went to their hotel **suite** and immediately called room service to order something **sweet** for dessert.*
Depois do jantar, os Sanders foram para a **suíte** deles no hotel e imediatamente chamaram o serviço de quarto para pedir algo **doce** como sobremesa.

tier/tear

» *On the top **tier** of the wedding cake there was a beautiful figure of a bride and groom. The grandmother was reminded of her own wedding cake, many years before, and it brought a **tear** to her eyes.*
Na última **camada** do bolo de casamento, havia uma figura muito bonita de uma noiva e um noivo. A avó se recordou do próprio bolo de casamento, que havia sido muitos anos antes, e isso lhe trouxe uma **lágrima** aos olhos.

wait/weight

» *Every time Mary thinks she needs to lose **weight** she says she is going to **wait** until Monday to start a diet.*

Toda vez que Mary pensa que precisa perder **peso**, ela diz que vai **esperar** até segunda-feira para começar a dieta.

weigh/way/whey

» *The **way** to make cheese is to separate the curds from the **whey**. Then, if you want to sell the cheese you will also need to **weigh** it.*

A **maneira** de fazer queijo é separar o coalho do **soro**. E, se você quiser vender o queijo, terá também que **pesá-lo**.

COGNATOS DE SENTIDO DIFERENTE

Algumas palavras são tão parecidas nas duas línguas que só se precisa do dicionário para verificar a pronúncia. *Tangerine* é tangerina. *Pyrex* é pirex. *Asparagus* é aspargo. *Camomile* (também grafada *chamomile*) é camomila. *Dissolve* é dissolver.

Mas cuidado! Os cognatos de sentido diferente (também chamados "falsos cognatos" ou "falsos amigos") podem causar muita confusão em receitas mal traduzidas. A seguir, você encontra uma lista de algumas palavras que enganam bastante.

anchovy › **aliche**
anchova › ***bluefish***

» *A Caesar salad usually has **anchovies**. They are also nice on pizza, but **bluefish** on a pizza? I don't think so.*
A salada Caesar geralmente tem **aliche**. Na pizza, também é muito gostoso. Mas, pizza com **anchova**? Eu acho que não cai bem.

amass › **acumular**
amassar › ***knead***

» ***Amassing** a fortune may be more interesting to you than **kneading** bread, but the owner of a successful bakery might tell you it's the way to go.*
Acumular fortuna pode ser mais interessante para você do que **amassar** pão, mas o dono de uma padaria bem-sucedida talvez lhe diga que esse é o caminho certo.

beef › **carne**
bife › ***steak***

» *One of the cuts of **beef** or meat is called **steak**. If you make a mistake here, you at least will have the correct material if not the form.*

Um dos cortes de **carne de boi** se chama **bife**. Se você cometer um erro aí, pelo menos terá carne, ainda que não seja do corte certo.

biscuit › **tipo de pão**
biscoito › ***a cookie or cracker***

» *A **biscuit** is a savory **roll** made with baking powder, and not a **cookie or cracker**, which can be sweet or savory but must be thick and aerated. **Biscuits** are served with the meal, while cookies and crackers are usually served as snacks.*

Biscuit é um **pãozinho** salgado feito com fermento em pó; não é biscoito. **Biscoito** pode ser doce ou salgado, mas precisa ser grosso e aerado. ***Biscuits*** são servidos com a refeição principal; já os biscoitos normalmente são servidos como lanche.

consistent › **coerente ou firme em comportamento ou pensamento; uniforme; compatível**
consistente › ***solid, thick, dense***

» *Laura was **consistent** about not permitting her children to eat many sweets. Once a week she treated them to a pudding she would make but it wasn't very good because Laura could never get the consistency right. It was never **thick** enough, and the children thought it was awful. Maybe the mistake was intentional.*

Laura era **coerente** no que dizia respeito a não permitir que seus filhos comessem muito doce. Uma vez por semana, ela lhes oferecia um creme que ela mesma fazia, mas que não era muito bom, porque Laura nunca conseguia dar a consistência certa. Nunca ficava **consistente** o suficiente, e as crianças o achavam horrível. Talvez o erro fosse intencional.

corny › **cafona, especialmente em forma de expressão**
corn › **milho**
corno › ***1. horn of an animal; 2. betrayed in love***

» ***Corn*** *is delicious, but a **horn** on an animal's head is of* *course impossible to eat. A mistake in the use of these two similar words would be obvious and hence would not create any great problem. Care must be taken, however, when telling a man he is corny (***cafona***, *not* ***corno***!). *And while on the subject of* ***corno***, *let me add that, contrary to what I have read most often in film subtitles, the translation can possibly be "horn", but never "horny". A person who desires sex is horny.*

Milho é delicioso, mas o **corno** de animal, claro, é impossível de comer. Um erro no uso dessas duas palavras tão semelhantes ficaria óbvio e não criaria grandes problemas. É bom tomar cuidado, porém, quando chamamos um homem de ***corny*** ("cafona", e não "corno"). A propósito, deixe-me acrescentar que, ao contrário do que freqüentemente leio em legendas de filmes, "corno" pode ser a tradução de ***horn***, mas nunca de ***horny***. Uma pessoa sexualmente excitada está ***horny***.

cup › **xícara**
copo › ***glass***

» *Ask for a* ***cup*** *of water and you will probably wonder why it is served in a* ***coffee cup***. *Well, you asked for it! Next time ask for a* ***glass*** *of water.*

Peça uma ***cup*** de água e você provavelmente ficará surpreso quando lhe servirem a água numa **xícara de chá**. Bem, você terá pedido assim! Da próxima vez que quiser água, peça-a num ***glass***, ou **copo**.

entree › **prato principal** (US)
entrada › ***appetizer***

» *The* ***appetizer*** *comes first, then comes the* ***entree***. *If this is not understood, ordering in a restaurant could be quite confusing.*

A **entrada** vem primeiro; depois vem o **prato principal**. Se isso não for compreendido, fazer o pedido num restaurante poderá se tornar algo bem confuso.

exit › **saída**
êxito › ***success***

» *You **exit** the kitchen through a door, but **success** in the kitchen is met by cooking with care, in which case you must stay and pay attention to what you are doing.*
Você **sai** da cozinha pela porta, mas o **êxito** na cozinha se consegue cozinhando com cuidado, e nesse caso você deve ficar e prestar atenção ao que está fazendo.

exquisite › **requintado**
esquisito › ***strange***

» *Never take offense if someone says your dinner was **exquisite**. It is a compliment.*
Nunca se ofenda se alguém disser que seu jantar estava ***exquisite***. É um elogio.

fresh water › **água doce**
água fresca › ***cool water***

» *The best lobsters in the United States come from the **cool water**, or should I say freezing cold water, off the coast of Maine and Cape Cod. They live in the salt water of the Atlantic Ocean and not in **fresh water**.*
As melhores lagostas dos EUA vêm da **água fresca**, isto é, água bem fria, da costa do Maine e de Cape Cod. Elas vivem nas águas salgadas do oceano Atlântico, e não em **água doce**.

gems › **pedras preciosas**
gemas › ***egg yolks***

» *Putting **gems** in the batter of a cake may be beautiful, or yet another creative scheme for smuggling, but will not be as tasty as **egg yolks**.*
Colocar **pedras preciosas** na massa de um bolo pode deixá-lo lindo, ou ser um criativo esquema para contrabando, mas esse bolo não será tão gostoso quanto aquele feito com **gemas**.

ground › **moído**

grão › ***1. grain (rice, wheat); 2. bean (coffee)***

» *It is not possible to make a good cup of **coffee** using the whole **bean**; it must be **ground** first. Sometimes a dessert uses the whole bean for decoration, but if ground coffee were used this way, the sweet would be ruined. However, grains can be eaten whole or ground once they have been cooked.*

Não é possível fazer um bom **café** usando o **grão** inteiro; primeiro ele tem que ser **moído**. Às vezes, pode-se usar o grão inteiro para enfeitar uma sobremesa, a qual o café moído estragaria. ***Grains***, porém, podem ser comidos inteiros ou moídos depois de cozidos.

intoxicate › **embriagar**

intoxicar › ***poison***

» *An **intoxicated** guest can be obnoxious, but it is no reason to **poison** him or her.*

Um convidado **embriagado** pode ser incômodo, mas isso não é razão para **intoxicá-lo**.

jar › **pote**

jarra › ***pitcher***

pot › **panela funda**

» *Usually orange juice is served in a **pitcher**. It would be strange and difficult to handle in a **jar** and probably would lose some of its vitamin C if cooked in a **pot**.*

Normalmente, suco de laranja é colocado numa **jarra**. Seria estranho e difícil servi-lo num **pote**, e ele provavelmente perderia um pouco de sua vitamina C se fosse aquecido numa **panela**.

liquor › **bebida destilada**

licor › ***liqueur***

» **Licor** *is liqueur. There is no problem there. However, a guest who only likes sweet drinks probably will not enjoy being served **liquors** such as whiskey, vodka or cachaça.*

Liqueur é licor. Até aí, nenhum problema. Mas um convidado que só aprecia bebidas doces provavelmente não vai gostar se lhe for servida **bebida destilada** como uísque, vodca ou cachaça.

lunch › **almoço**
lanche › ***snack***

» *If you go to **lunch** expecting a **snack**, you will surely be surprised by the quantity of food served. Although **lunch** is usually also light, it is the midday meal, so do not expect just a **snack**.*

Se você vai a um ***lunch*** esperando um **lanche**, com certeza vai ficar surpreso com a quantidade de comida servida. Mesmo que o ***lunch*** também seja normalmente leve, é a refeição servida ao meio-dia, e não se espera que seja somente um **lanche**.

macaroni › **certa variedade de macarrão**
macaroon › **biscoito de amêndoas**
macarrão › ***pasta***

» ***Macaroni** and Cheese may taste the same using noodles or spaghetti, but it just is not the same. Making **cookies with almonds** seems far more interesting than with **pasta**.*

Macaroni and Cheese (**macarrão** com queijo) pode ter o mesmo gosto usando talharim ou espaguete, mas simplesmente não é a mesma coisa. Fazer **biscoitos doces com amêndoas** parece bem mais interessante do que com **macarrão**.

marmalade › **tipo de geléia feita com laranja**
marmelada › ***quince sweet***

» ***Quince sweet** is too thick to be served on toast, and **marmalade** – a British jam – is not a dessert.*

A **marmelada** é grossa demais para ser servida em torrada, e ***marmalade*** é uma geléia inglesa, e não um doce.

pancakes › **panquecas bem grossas**
panquecas › ***crepes***

» ***Pancakes*** *are almost* ***crepes****, but not quite. Crepes are much thinner than pancakes and not served at breakfast like pancakes are. Pancakes are too thick to roll with a filling. They have syrup poured over them.*
Pancakes são quase **panquecas**, mas nem tanto. As **panquecas** são muito mais finas do que ***pancakes*** e também não são servidas no café-da-manhã como as ***pancakes***. ***Pancakes*** são grossas demais para enrolar com recheio. Elas têm uma calda despejada por cima.

preservative › **conservante**
preservativo › ***condom***

» *People interested in natural and organic foods are concerned about the amount of* ***preservatives*** *used today. They may look for preservatives when they check the food labels but certainly will not find* ***condoms****.*
Pessoas interessadas em alimentos naturais e orgânicos são preocupadas com as quantidades de **conservante** usadas. Eles normalmente lêem os rótulos das embalagens para ver se há conservantes, mas certamente não encontrarão **preservativos**.

pretend › **fingir**
pretender › ***intend***

» *Children like to* ***pretend*** *to make mud pies, which probably are not very tasty. If you want delicious results, you cannot pretend but must actually buy all the correct ingredients because you* ***intend*** *to make a pie.*
As crianças usam lama para **fingir** que fazem tortas que provavelmente não são lá muito gostosas. Se você quer resultados deliciosos, não deve fingir, e sim realmente comprar todos os ingredientes certos, porque você **pretende** fazer uma torta.

pudding › **creme grosso para sobremesa**
pudim › ***flan; custard***

» *Both are desserts and can even have basically the same ingredients. The main difference is in the consistency. **Custard** is molded and thus can be cut with a knife. **Pudding** is soft like porridge and, so, is served with a spoon.*

Ambos são sobremesas e podem até ter basicamente os mesmos ingredientes. A diferença principal é a consistência. O **pudim** é consistente e toma formato, podendo portanto ser cortado com faca. O **creme** é mole como mingau e só se consegue servi-lo com colher.

refreshment › **lanche**
refresco › ***a cool drink***

» *A **cool drink** is just one kind of **refreshment**.*

Um **refresco** é só um tipo de bebida do **lanche**.

render › **1. derreter banha; 2. dar algo em troca por algum serviço**
render(-se) › ***1. surrender; 2. produce, yield***

» *The cook did not know the army had **surrendered**. He was too busy **rendering** the bacon for his famous bean soup. When the war was over, he decided to **render** his services as a caterer. It **produced** a lucrative business.*

O cozinheiro não sabia que o exército havia se **rendido**. Ele estava muito ocupado **derretendo** o bacon para sua famosa sopa de feijão. Quando a guerra terminou, ele decidiu **oferecer seus serviços** de ***catering***. Isso lhe **rendeu** um negócio muito lucrativo.

retire › **aposentar-se**
retirar › ***remove***

» *When you **retire** from work you may have more time to enjoy cooking or studying English. However, when you **retirar** a pot from the stove you are **removing** it from the fire, not taking it from your collection of pots and pans and storing it far out of reach.*

Ao se **aposentar**, você poderá ter mais tempo para curtir a cozinha ou estudar inglês. Porém, quando você **retirar** uma panela do fogão, você não vai aposentá-la da sua coleção de panelas e guardá-la fora de alcance.

rotisserie › **1. forno com espeto girador para assar carne etc.; 2. churrascaria ou estabelecimento que use esse tipo de forno**

rotisserie › ***barbecue restaurant***

» *When speaking of the restaurant, there is no misunderstanding here, but this meaning is not commonly used in English. Hearing that there is a person in the **rotisserie**, the listener will probably think of the restaurant. Saying there is a dog, for example, in the **rotisserie** could cause a little more confusion, and it might be bad for business.*

Quando se fala de restaurante, não há mal-entendido nesse aspecto, mas a palavra ***rotisserie*** normalmente não é usada com tal significado em inglês. Quando ouvir que há uma pessoa na **rotisserie**, o ouvinte provavelmente entenderá no restaurante. Mas dizer que há, por exemplo, um cão na **rotisserie** poderia causar um pouco mais de confusão, e isso não seria bom para os negócios.

soap › **sabonete**

sopa › ***soup***

» *Putting **soap** in soup would be an awful mistake. Using **soup** to wash your hands could be nearly as bad.*

Colocar **sabonete** em sopa seria um erro terrível. Usar **sopa** para lavar as mãos poderia ser quase tão ruim.

tapioca › **sagu de mandioca**

tapioca › ***1. the starch extracted from manioc; 2. a dish from Brazil's northeast region***

» *If you ask for **tapioca** in the States you will receive sagu, which is very good but personally I'd say it doesn't compare to those little pancakes made with the **starch from manioc** and coconut. Simply divine!*

Se você pedir tapioca nos EUA, você receberá o **sagu**, que é muito bom, mas pessoalmente acho que não se compara àquelas panquecas pequenas feitas com **tapioca** e coco. Simplesmente divinas!

temper › **temperamento**
temperos › ***seasonings***

» *Hold your **temper** when you cook. There is no reason to get upset. But neither exaggerate nor hold back with the **seasonings**. When you season food, it should be just right.*
Contenha seu **temperamento** ao cozinhar. Não há razão para ficar chateada. Mas não exagere nem se contenha com os **temperos**. Quando se temperam os pratos, deve-se fazer isso na medida certa.

tender › **macio (carne, verduras cozidas); tenro**
tênder › ***smoked ham***

» *The cook was afraid the **ham** would be tough because the pig had been old, but he cooked it for six hours, making the meat very **tender**.*
O cozinheiro estava com medo de que o **tênder** ficasse duro, porque o porco era velho, mas ele o cozinhou por seis horas, e a carne ficou muito **macia**.

toddy › **drinque feito com uísque e água quente**
Toddy › ***a brand of powdered chocolate***

» *Most children love a milk* **Toddy** *and only learn to love a **toddy** when they grow up.*
A maioria das crianças adoram um **Toddy** com leite e só aprendem a gostar de ***toddy*** quando ficam adultas.

vinaigrette › **molho para salada verde feito com óleo, vinagre e ervas**
vinagrete › ***a condiment of oil and vinegar with chopped pieces of tomato, green pepper, onion and hot red pepper***

» *Confusing these two would not be a culinary disaster,*

but somehow a feijoada or a green salad would not be the same.

Fazer confusão com estes dois não seria um desastre culinário, mas de alguma maneira a feijoada ou a salada verde não seriam os mesmos.

vine › **parreira**

vinho › ***wine***

» *Drinking good **wine** is one of the great pleasures in life. Drinking a **vine** is impossible and gives the impression that someone has forgotten a few steps in the wine-making process.*

Beber um bom **vinho** é um dos grandes prazeres da vida. Beber uma **parreira** é impossível e dá a impressão de que alguém esqueceu algumas etapas no processo de feitura do vinho.

PALAVRAS ESTRANGEIRAS NO INGLÊS

Uma das dificuldades para o estudante de inglês é que a grafia do idioma não é fonética. Até mesmo um nativo, se for a primeira vez que ele estiver lendo uma palavra e nenhuma autoridade (como mamãe ou papai) se achar por perto, precisará usar um dicionário para aprender a pronúncia. A mesma combinação de letras pode ser pronunciada de diferentes maneiras. Se você aprendeu uma palavra nova por meio de conversação, terá de ser bastante criativo para imaginar como grafá-la.

Um dos motivos dessa complicação é que a língua inglesa sempre tomou emprestadas palavras de outras línguas. Essas palavras normalmente sofreram transformações para que se parecessem um pouco com o inglês, mas às vezes continuaram com a grafia original, embora não exatamente com a mesma pronúncia.

Eis algumas palavras usadas em culinária que vieram direto de outras línguas. Muitas das traduções constam do glossário inglês-português.

Alemão

› *ersatz*

Espanhol

› *chocolate* (dos índios da América Central); *tapioca* (do tupi, por meio dos espanhóis e dos portugueses), *tortilla* (do México)

Francês

› *à la carte; aperitif; bisque; bon appétit; bouillon; cabaret; café; café-au-lait; canapé; cognac; consommé; crème de la crème; dessert; éclair; gourmet; haute cuisine; hors d'oeuvre; julienne; liqueur; maître d'(hôtel); menu; nouvelle cuisine; pièce de résistance; plat du jour; quiche; rosé; R.S.V.P. (répondez s'il vous plait); sauté; soufflé; soupe du jour; vinaigrette*

Também:

› *à la mode:* em francês, significa "de acordo com a moda"; mas, em inglês, significa geralmente algo que será servido com sorvete.
› *entrée:* é um cognato de sentido diferente: em inglês dos EUA, significa "prato principal"; em francês, é "antepasto", sendo usado no plural.

Grego

› *nectar; ambrosia*

Iídiche

› *bagel; kosher; matzoh* (ou matzo)*; nosh*

Italiano

› *al dente; broccoli; cappuccino; gorgonzola; mortadella; mozzarella; pasta* (com todas as suas variações)*; pizza; pizzeria; porcini; prosciutto; radicchio; ricotta; zucchini*

Sueco

› *smorgasbord*

PROVÉRBIOS E DITOS POPULARES

Toda língua tem seus provérbios e ditos populares. Por terem sido criados com base na observação da natureza humana, é comum que haja ditos e provérbios em outras línguas com significado muito similar ao da nossa, mas com uma imagem metafórica diferente.

Outros provérbios e ditos vêm da Bíblia ou de filósofos antigos. Eles chegaram até nós atravessando milênios, exatamente da mesma forma em muitas línguas.

A seguir você encontrará uma lista de máximas populares que usam figurativamente o vocabulário da culinária.

A

(to) amount to a hill of beans › ser algo trivial; significar pouco

(An) apple a day keeps the doctor away › Comer uma maçã por dia mantém o médico longe

(The) apple doesn't fall far from the tree › O caráter do filho se parece com o do pai; Filho de peixe, peixinho é

B

(to) bite off more than you can chew › ter o olho maior que a barriga

(to) bite the hand that feeds you › destruir a fonte de lucros, ajuda ou apoio futuro (usado mais na forma negativa)

(to be) born with a silver spoon in your mouth › nascer em berço de ouro

C

(to have your) cake and eat it too › assobiar e chupar cana ao mesmo tempo

Caught with your hand in the cookie jar › pego em flagrante

(to) count your chickens before they are hatched › contar com o ovo dentro da galinha (Esopo)

Cream always comes to the top › O melhor sempre sobe

E

Eat, drink and be merry, for tomorrow we shall die › Goza a vida porque não sabes o amanhã (Bíblia)

Eat to live; do not live to eat › Comer para viver; não viver para comer (Sócrates)

(to) eat your heart out › consumir-se pouco a pouco; sofrer em silêncio

Everything but the kitchen sink › tudo que é possível incluir, independentemente de saber se é útil ou não (freqüentemente dito sobre uma bolsa de mulher, cheia de coisas)

(to have) eyes bigger than your stomach › ter o olho maior que a barriga

F

Feed a cold, starve a fever › Alimente-se se estiver resfriado, mas não coma se estiver febril

(to have a) finger in every pie › participar de tudo; intrometer-se ou estar envolvido em todos os âmbitos de alguma coisa

(to have a) finger in the pie › 1. ter culpa no cartório; 2. participar ou intrometer-se

First come, first served › Quem chega primeiro, é servido primeiro

Fish and guests smell after three days › Peixes e hóspedes cheiram mal depois de três dias

(A) fish out of water › peixe fora d'água

(The) forbidden fruit is sweet › O que não se pode ter sempre é mais desejado

G

(The) glass/cup is either half empty or half full › Pode-se interpretar tudo de modo negativo ou positivo

I

If you can't stand the heat, get out of the kitchen › Se a pressão está grande demais para você, saia fora

It's all grist for the mill › Até coisas de pouco valor podem ser utilizadas

K

(to) kill the goose that laid the golden egg › Não matar a galinha dos ovos de ouro (usado mais na forma negativa) (Esopo)

(to) know which side your bread is buttered on › saber onde se encontra a própria conveniência

L

(to) leap/jump out of the frying pan and into the fire › sair da lama para cair no atoleiro; ir de mal a pior

Let him stew in his own juices › Deixe-o sofrer as conseqüências do problema que ele mesmo criou

Let them eat cake › Pois que comam bolo! (usado para mostrar desprezo por quem tem de menos) (francês)

Life is a bowl of cherries › A vida é doce e fácil

M

Man does not live by bread alone › Nem só de pão vive o homem (Bíblia)

O

Oil and water don't mix › Pessoas muitas diferentes não podem ser unidos, esp. personalidades

One man's meat is another man's poison › O que a um faz bem a outro faz mal

P

(There are) plenty of other fish in the sea › Há muito mais oportunidades no mundo

(The) pot calling the kettle black › O roto rindo do esfarrapado

(The) proof of the pudding is in the eating › Só o futuro o dirá; No frigir dos ovos é que se verá

(to) put all your eggs into one basket › arriscar tudo; investir todo o capital num único empreendimento, apostar todas as fichas

(to) put (an idea) on the back burner › deixar uma idéia amadurecer

R

(to) rub salt in one's wounds › tocar na ferida

S

(to) sow your wild oats › fazer as loucuras da mocidade; dar suas cabeçadas

Still waters run deep › Quase não fala, mas, quando fala, o faz profundamente; As aparências enganam

(A) storm/tempest in a teacup › tempestade em copo d'água (Cícero); escândalo por algo insignificante

T

(to) take the bitter with the sweet › aceitar as coisas ruins tanta quanto as boas

There is no such thing as a free lunch › Nada na vida é de graça

V

Variety is the spice of life › O tempero da vida é a variedade; Nossas diferenças são o que torna a vida interessante

W

(A) watched pot never boils › Se você só esperar para que algo aconteça, não acontecerá nunca

Water, water everywhere, and not a drop to drink › Apesar da abundância de algo, não se pode utilizá-lo

(That's the) way the cookie crumbles › Assim é a vida, e temos de aceitar nosso destino

(The) way to a man's heart is through his stomach › O caminho para o coração de um homem passa pelo estômago

Which came first, the chicken or the egg? › Quem nasceu primeiro? O ovo ou a galinha? (resposta para pergunta impossível de responder)

Y

You are what you eat › Você (sua saúde, aparência, bem-estar) é o resultado do que você come

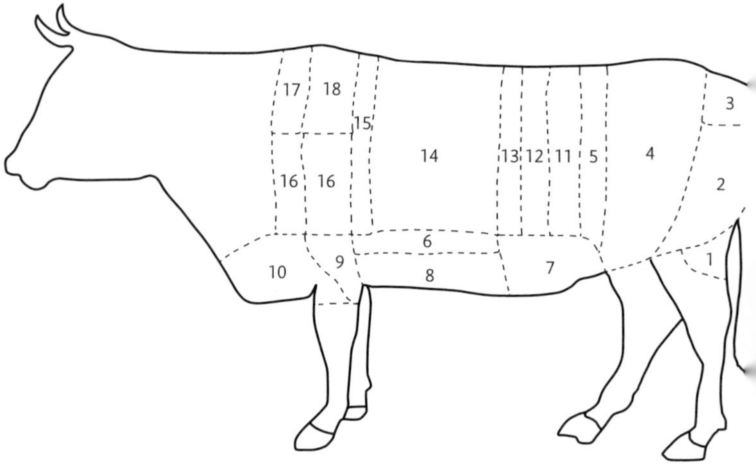
17
18
15
16
16
14
13
12
11
5
4
3
2
6
10
9
8
7
1

CORTES DE CARNE NOS EUA

Cuts of beef in the United States

Round

1. *heal pot roast/heel of round*
2. *round steak*
3. *rump roast*

Loin

4. *sirloin steak*
5. *pinbone steak*

Breast and flank

6. *short ribs*
7. *flank steak/tip steak*
8. *plate*
9. *brisket*
10. *crosscut shank*

(Short) Loin

11. *porterhouse*
12. *T-bone*
13. *club steak*

Rib

14. *rib roast*
15. *blade rib roast*

Chuck

16. *arm pot roast*
17. *boneless neck*
18. *blade roast*

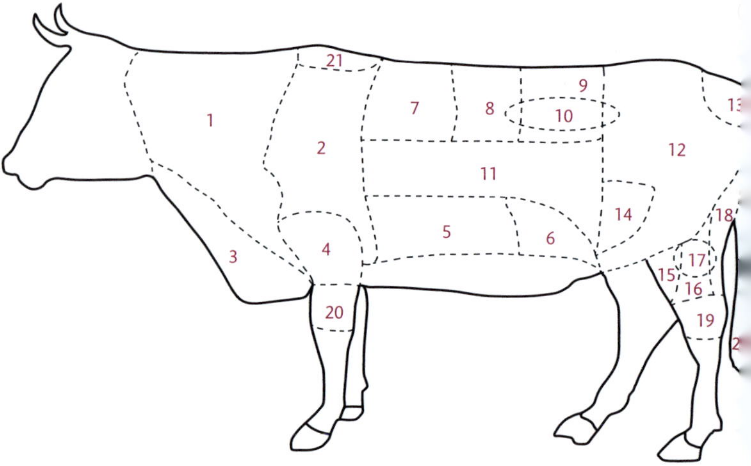
21
9
7
8
10
1
2
12
11
14
5
6
18
3
4
17
15
16
20
19

CORTES DE CARNE NO BRASIL

1. pescoço
2. acém
3. peito
4. braço/paleta
5. ponta de agulha
6. fraldinha
7. capa de filé
8. filé de costela
9. contrafilé/filé do lombo
10. filé-mignon
11. aba de filé
12. alcatra
13. picanha
14. maminha
15. patinho
16. coxão duro
17. coxão mole
18. lagarto
19. músculo e ossobuco
20. músculo e ossobuco
21. cupim
22. rabo

METÁFORAS NA COZINHA

Figurativamente iguais, usando *as...as...*
Usa-se a construção *as...as...* para dizer que duas coisas são, de alguma forma, iguais. A comparação pode ser literal, mas freqüentemente é metafórica. Seguem algumas que saíram da cozinha:

as cool as a cucumber › calmo; indiferente; senhor de si
as drunk as a skunk › muito bêbado
as easy as pie › coisa fácil de fazer; sopa; moleza
as flat as a pancake › achatado
as happy as a clam › muito feliz
as nutty as a fruitcake › maluco; extravagante; excêntrico
as pleased as Punch › feliz da vida
as red as a beet › vermelho como um pimentão (de vergonha)
as red as a lobster › vermelho como um pimentão; vermelho como um camarão (por causa do sol)
as slow as molasses › lento como uma lesma
as sweet as sugar; as sweet as honey › pessoa muito doce
as wrinkled as prunes › enrugado como uva passa

Figurativamente iguais, usando *like*
Usa-se *like* como preposição para dizer que as coisas são similares. No entanto, é comum também o emprego metafórico.

(to) drink like a fish › beber como um gambá; beber como uma esponja; beber como uma vaca
(to) drop something/someone like a hot potato › livrar-se de alguém ou de algo desagradável; dizer as últimas para alguém
(to) eat like a bird › comer bem pouco
(to) eat like a pig; (to) eat like a horse › comer demais; ter bom apetite
like taking candy from a baby › É muito fácil

like two peas in a pod › idênticos
like water off a duck's back › sem efeito nenhum; sem resultado
lips like cherries › lábios bem vermelhos
(to) run around like a chicken with its head chopped/cut off › estar indeciso, inconstante, confuso
(to) sell like hotcakes › vender rapidamente; vender como água
(to) spend money like water › desperdiçar; gastar dinheiro como água

CONVERSÕES E TEMPERATURAS

Pesos e medidas comuns (aproximados)

1/2 polegada = 1,25 centímetro
1 polegada = 2,5-3 centímetros
2 polegadas = 5 centímetros
4 polegadas = 10 centímetros
5 polegadas = 13 centímetros
8 polegadas = 20 centímetros
9 polegadas = 23 centímetros
9 1/2 polegadas = 24 centímetros

1 onça = 28 gramas
1 grama = 0,035 onça
1 libra = 454 gramas (aproximadamente 1/2 quilo)
1 quilo = 2,2 libras (aproximadamente 2 libras)
100 gramas de manteiga = 1/2 xícara menos 1 colher de sopa = 3,5 onças = 7 colheres de sopa
1/2 xícara (1 stick de manteiga, US) = 113,4 gramas = 4 onças = 8 colheres de sopa

Medidas secas

3 colheres de chá = 1 colher de sopa = 1/2 onça líquida
2 colheres de sopa = 1 onça líquida
4 colheres de sopa = 2 onças líquidas = 1/4 xícara
16 colheres de sopa = 8 onças líquidas = 1/2 libra =1 xícara = 1/2 pint
32 colheres de sopa = 1 libra = 2 xícaras = 1 pint
64 colheres de sopa = 2 libras = 4 xícaras = 1 quart

Medidas líquidas

2 xícaras = 1 pint = 16 onças = 0,4732 litro
2 pints = 1 quart = 4 xícaras = 0,9463 litro
1 galão = 4 quarts = 3,785 litros
1 litro = 2,1 pints = 1,05 quarts = 34 onças líquidas = 4,2 xícaras
1 dash = 6 gotas

1 pony = 1 onça = 2 colheres de sopa
1 jigger = 1 1/2 onças = 3 colheres de sopa

Obs.: Para conversões precisas, vide a seguir as fórmulas.

Fórmulas de conversão
de onças para gramas › multiplique as onças por 28,3
de gramas para onças › multiplique os gramas por 0,0353
de libras para gramas › multiplique as libras por 453,59
de libras para quilos › multiplique as libras por 0,45
de quilos para libras › multiplique os quilogramas por 2,2046
de xícaras para litros › multiplique as xícaras por 0,24
de pints para litros › multiplique os pints por 0,4732
de litros para pints › multiplique os litros por 2,1134
de polegadas para centímetros › multiplique as polegadas por 2,54
de centímetros para polegadas › multiplique os centímetros por 0,39

Temperaturas

FAHRENHEIT	CENTIGRADE	
–10ºF	–24ºC	(armazenagem no congelador)
0ºF	–18ºC	
32ºF	0ºC	(congelamento da água)
50ºF	10ºC	
60ºF	15ºC	
68ºF	20ºC	(temperatura ambiente)
70ºF	21ºC	
85ºF	30ºC	
98.6ºF	37ºC	
100ºF	38ºC	
110ºF	45ºC	
150ºF	65ºC	
200ºF	95ºC	
205ºF	96ºC	(água abre fervura)
212ºF	100ºC	(água fervente em ebulição)
238ºF	115ºC	

Temperaturas do forno

250ºF	120ºC	(muito baixo)
300ºF	150ºC	(baixo)
325ºF	165ºC	(médio-baixo)
350ºF	175ºC	(médio)
375ºF	190ºC	(médio-alto)
400ºF	200ºC	(quente)
425ºF	220ºC	
450ºF	230ºC	(bem quente)
475ºF	245ºC	
500ºF	260ºC	*(broiling)*

Na tabela, as temperaturas em graus Celsius foram arredondadas. Para obter a conversão exata, use as seguintes fórmulas:

de **Fahrenheit** para **Celsius** › subtraia 32 da temperatura Fahrenheit, multiplique por 5 e divida por 9

de **Celsius** para **Fahrenheit** › multiplique por 9, divida por 5 e adicione 32

REFERÊNCIAS BIBLIOGRÁFICAS

Livros

Burke, David. *How to Speak and Understand American Slang, from Street Talk 1.* Berkeley, CA: Optima Books, 1995.

_______. *Street Talk 2. Slang Used in Popular American Television Shows.* Berkeley, CA: Optima Books, 1992.

_______. *Street Talk 3. The Best of American Idioms.* Berkeley, CA: Optima Books, 1995.

Lederer, Richard. *Crazy English.* New York: Pocket Books, 1989.

Mariani, John F. *The Dictionary of American Food and Drink.* New York: Ticknor & Fields, 1983.

Root, Waverley & Rochemont, Richard de. *Eating in America: a History.* New York: William Morrow, 1976.

Titelman, Gregory. *Random House Dictionary of America's Popular Proverbs and Sayings.* New York: Random House, 2000.

Sites

Há um mundo enorme e maravilhoso de sites para o aluno de inglês interessado em culinária. Eis alguns dos meus favoritos:

www.nytimes.com, Toda quarta-feira, há artigos na seção "Dining and Wine" do *New York Times.*

http://eat.epicurious.com Além das receitas, o site traz links para revistas como *Gourmet* e *Bon Appetit.* Há dicas de etiqueta, conselhos de especialistas, um dicionário de culinária, recomendações de restaurantes etc.

www.cooking.com; www.chefscatalog.com; www.crateandbarrel.com; www.williams-sonoma.com. Alguns excelentes sites para compras.

www.allrecipes.com Aqui se tem muito mais do que simples receitas. Há conselhos culinários e dicas de feriados. Um dos links é para a *Cooking Light Magazine.*

www.foodinfonet.com/govern.htm. Fornece links para sites governamentais sobre assuntos que incluem nutrição, agricultura e doenças causadas por ingestão de alimentos.

www.foodnetwork.com; www.foodtv.com. São de um canal a cabo dedicado exclusivamente à alimentação e à culinária. Um canal de TV que tem programas exclusivamente sobre comida? Uau!

www.foodsubs.com. "The Cook's Thesaurus" oferece muitas dicas sobre como substituir ingredientes que a receita pede, mas que você não encontra ou que são muito caros.

www.naturalfoodnet.com; www.vegetariantimes.com; www.organicconsumers.org. Para os interessados em comida natural e orgânica.

www.onlineconversion.com. Fará qualquer conversão de medida que você precisar.

www.recipesource.com Traz muitas receitas.

www.topsecretrecipes.com É um site para "clones": dá receitas para muitos dos produtos que você encontra nos supermercados.

SOBRE A AUTORA

Virginia Klie nasceu em New Jersey, Estados Unidos, tendo vivido em Boston, San Francisco e New York, entre outras cidades americanas.

Mudou-se para o Brasil em 1981. Inicialmente morou em São Paulo, onde lecionou em escolas de idiomas e empresas multinacionais e também deu aulas particulares. Desde 2000 vive em Florianópolis, onde continua lecionando.

Fã da experimentação na cozinha, prefere receitas novas e/ou exóticas ao trivial. Porém, o que era trivial nos Estados Unidos se tornou um prato exótico no Brasil, e então lhe deu o estalo de fazer os pratos americanos aqui, especialmente como parte de uma aula de inglês.

Da idéia de unir a culinária ao ensino da língua inglesa surgiu seu primeiro livro, *Not Just Hamburgers!*, lançado pela Disal Editora em 2003. O *Glossário de Gastronomia* é uma continuação desse trabalho, dando ao aluno uma forte base de vocabulário.

Este livro foi composto nas fontes Minion e Mundo Sans
e impresso em março de 2010 pela Prol Editora Gráfica,
sobre papel Offset 90g/m².